'사고력수학의 시작'

팡세

pensées

D3

4학년 | 유추

사고가 자라는 수학
씨투엠

사고력 수학을 묻고 팡세가 답해요

Q: 사고력 수학은 '왜' 해야 하나요?

사고력 수학은 아이에게 낯선 문제를 접하게 함으로써 여러 가지 문제 해결 방법을 아이 스스로 생각하게 하는 것에 목적이 있어요. 정석적인 한 가지 풀이법만 알고 있는 아이는 결국 중등 이후에 나오는 응용 문제에 대한 해결력이 현저히 떨어지게 되지요. 반면 사고력 수학을 통해 여러 가지 풀이법을 스스로 생각하고 알아낸 경험이 있는 아이들은 한 번 막히는 문제도 다른 방법으로 뚫어낼 힘이 생기게 된답니다. 이러한 힘을 기르는 데 있어 사고력 수학이 가장 크게 도움이 된다고 확신해요.

Q: 사고력 수학이 '필수'인가요?

No but Yes! 초등 수학에서 가장 필수적인 것은 교과와 연산이지요. 또 중등에서의 서술형 평가를 대비하기 위한 서술형 학습과 어려운 중등 도형을 헤쳐나가기 위한 도형 학습 정도를 추가하면 돼요. 사고력 수학은 그 다음으로 중요하다고 할 수 있어요. 다만 만약 중등 이후에도 상위권을 꾸준하게 유지하겠다고 하시면 사고력 수학은 필수랍니다.

Q: 사고력 수학, 꼭 '어려운' 문제를 풀어야 하나요?

No! 기존의 사고력 수학 교재가 어려운 이유는 영재교육원 입시 때문이었어요. 상위권 중에서도 더 잘하는 아이, 즉 영재를 골라내는 시험에 사고력수학 문제가 단골로 출제되었고, 이에 대비하기 위해 만들어진 것이 초창기 사고력 수학 교재이지요. 하지만 모든 아이들이 영재일 수는 없고, 또 그래야할 필요도 없어요. 사고력 수학으로 영재를 확실하게 선별할 수 있는 것도 아니에요. 따라서 사고력 수학의 원래 목적, 즉 새로운 문제를 풀 수 있는 능력만 기를 수 있다면 난이도는 중요하지 않답니다. 오히려 어려운 문제는 수학에 대한 아이들의 자신감을 떨어뜨리는 부작용이 있다는 점! 반드시 기억해야 해요.

Q: 사고력 수학 학습에서 어떤 점에 '유의'해야 할까요?

가장 중요한 것은 아이가 스스로 방법을 생각할 수 있는 시간을 충분히 주는 거예요. 엄마나 선생님이 옆에서 방법을 바로 알려주거나 해답지를 줘버리면 사고력 수학의 효과는 없는 거나 마찬가지랍니다. 설령 문제를 못 풀더라도 아이가 스스로 고민하는 습관을 가지고, 방법을 찾아가는 시간을 늘리는 것이 아이의 문제해결과 집중력을 기르는 방법이라고 꼭 새기며 아이가 스스로 발전할 수 있는 가능성을 믿어 보세요.

또 하나 더 강조하고 싶은 것은 문제의 답을 모두 맞힐 필요가 없다는 거예요. 사고력 수학 문제를 백점 맞는다고 해서 바로 성적이 쑥쑥 오르는 것이 아니에요. 사고력 수학은 훗날 아이가 더 어려운 문제를 풀기 위한 수학적 힘을 기르는 과정으로 봐야 하는 거지요. 그러니 아이가 하나 맞히고 틀리는 것에 일희일비하지 말고 우리 아이가 문제를 어떤 방법으로 풀려고 했고, 왜 어려워 하는지 표현하게 하는 것이 훨씬 중요하답니다. 사고력 수학은 문제의 결과인 답보다 답을 찾아가는 과정 그 자체에 의미가 있다는 사실을 꼭! 꼭! 기억해 주세요.

팡세의 구성과 특징

1. 패턴, 퍼즐과 전략, 유추, 카운팅 - 새로운 시대에 맞는 새로운 사고력 영역!

2. 아이가 혼자서도 술술 풀어나가며 자신감을 기르기에 딱 좋은 난이도!

3. 하루 10분 1장만 풀어도 초등에서 꼭 키워야 하는 사고력을 쑥쑥!

일일 소주제 학습

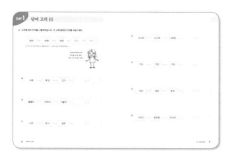

하루에 10분씩 매일 1장씩만 꾸준히 풀면 돼.

5일 동안 배운 것 중 가장 중요한 문제를 복습하는 거야!

주차별 확인학습

월간 마무리 평가

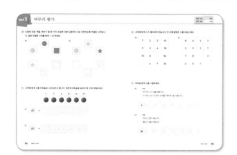

4주 동안 공부한 내용 중 어디가 부족한지 알 수 있다. 삐리삐리~

이 책의 차례

D3

pensées

속성과 분류

✏️ 규칙에 따라 단어를 나열하였습니다. 빈 곳에 알맞은 단어를 써넣으세요.

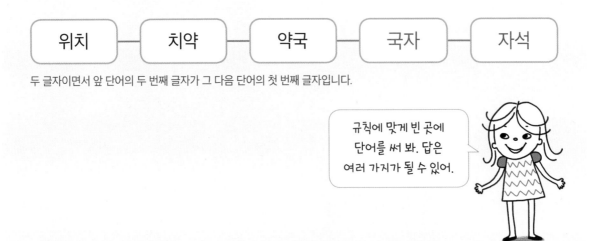

위치 — 치약 — 약국 — 국자 — 자석

두 글자이면서 앞 단어의 두 번째 글자가 그 다음 단어의 첫 번째 글자입니다.

규칙에 맞게 빈 곳에
단어를 써 봐. 답은
여러 가지가 될 수 있어.

❶

수학 — 학교 — 교가 — ☐ — ☐

❷

올챙이 — 이야기 — 기술자 — ☐ — ☐

❸

사전 — 판사 — 심판 — ☐ — ☐

❹ 오소리 ── 소나무 ── 나무꾼 ── [ ] ── [ ]

❺ 기차 ── 기린 ── 기적 ── [ ] ── [ ]

❻ 의자 ── 과자 ── 한자 ── [ ] ── [ ]

❼ 기러기 ── 토마토 ── 아시아 ── [ ] ── [ ]

규칙에 따라 단어를 나열하였습니다. 빈 곳에 알맞은 단어를 써넣으세요.

| 자전거 | ➡ | 승용차 | ➡ | 버스 | ➡ | 기차 |

승합차, 트럭 등
여러 가지가 있습니다.

탈 것이면서 크기가 점점 커지고 있습니다.
따라서 빈 곳에는 승용차보다 크고 기차보다 작은 탈 것을 써넣습니다.

화살표 방향대로
물건의 크기가
점점 커지고 있지?

❶ | 유치원 | ➡ | 초등학교 | ➡ | | ➡ | 고등학교 |

❷ | 참새 | ➡ | 비둘기 | ➡ | | ➡ | 독수리 |

❸ | 다람쥐 | ➡ | | ➡ | 늑대 | ➡ | 코끼리 |

❹ 체리 ➡ 귤 ➡ ⬜ ➡ 파인애플

❺ 알 ➡ ⬜ ➡ 번데기 ➡ 나비

❻ 제비 ➡ ⬜ ➡ 동물 ➡ 생명체

❼ 서울 ➡ ⬜ ➡ 아시아 ➡ 지구

✏️ 도형의 모양, 색깔, 채우기 중 한 가지 속성만 다른 도형끼리 서로 이웃하도록 연결된 고리입니다. 잘못 연결된 고리를 찾아 ✕표 하세요.

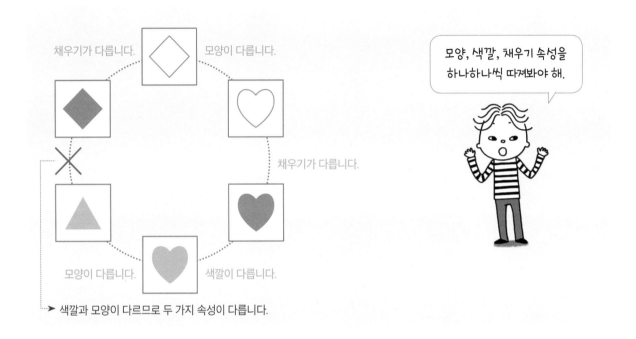

① ②

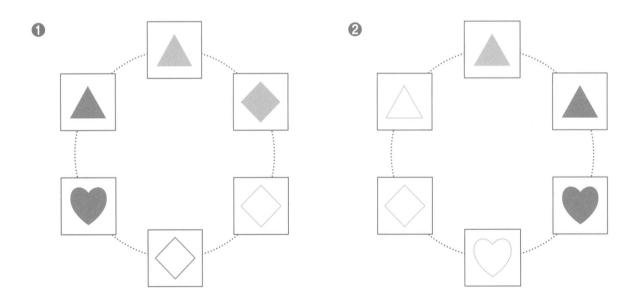

❸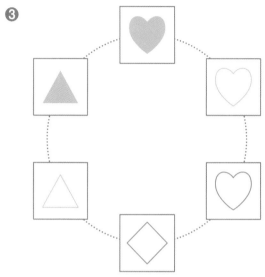

❹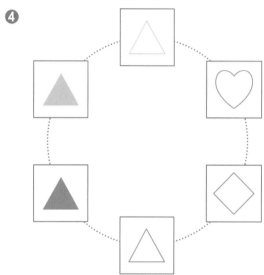

❺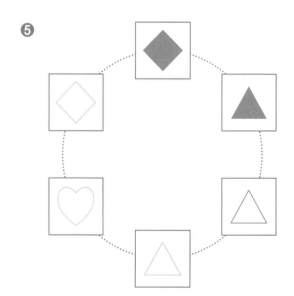

❻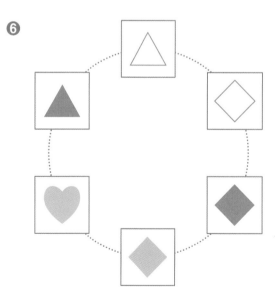

✏️ 단추의 모양, 색깔, 구멍의 개수 중 한 가지 속성만 같은 단추끼리 이웃하도록 나열하였습니다.
빈 곳에 들어갈 단추를 찾아 기호를 쓰세요.

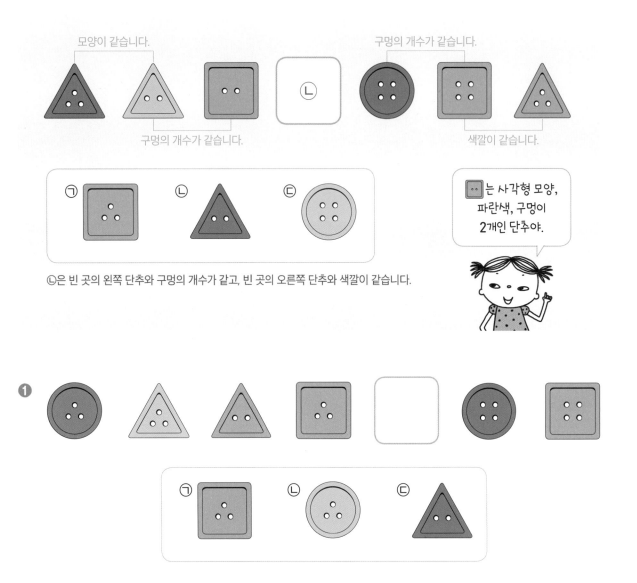

모양이 같습니다.

구멍의 개수가 같습니다.

구멍의 개수가 같습니다.

색깔이 같습니다.

ⓒ은 빈 곳의 왼쪽 단추와 구멍의 개수가 같고, 빈 곳의 오른쪽 단추와 색깔이 같습니다.

🔲 는 사각형 모양, 파란색, 구멍이 2개인 단추야.

❶

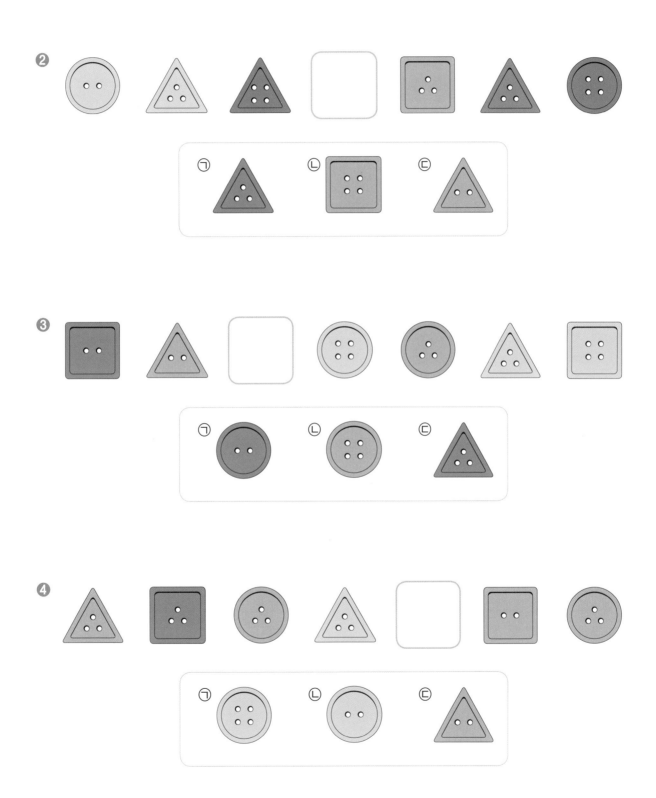

셋(SET) 카드

✏️ 속성이 모두 같거나 모두 다른 카드 3장을 '셋(SET) 카드'라고 합니다. 다음 중 가로, 세로, 대각선 방향으로 셋 카드를 찾아 묶어 보세요. 카드는 색깔, 모양, 개수의 세 가지 속성이 있습니다.

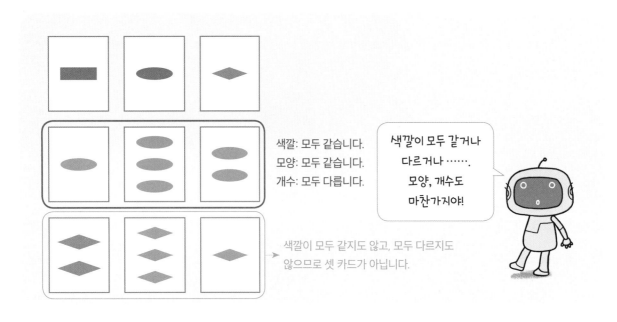

색깔: 모두 같습니다.
모양: 모두 같습니다.
개수: 모두 다릅니다.

색깔이 모두 같거나 다르거나 ……. 모양, 개수도 마찬가지야!

→ 색깔이 모두 같지도 않고, 모두 다르지도 않으므로 셋 카드가 아닙니다.

❶ 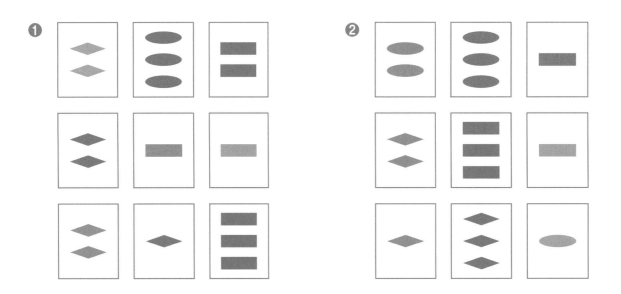 ❷

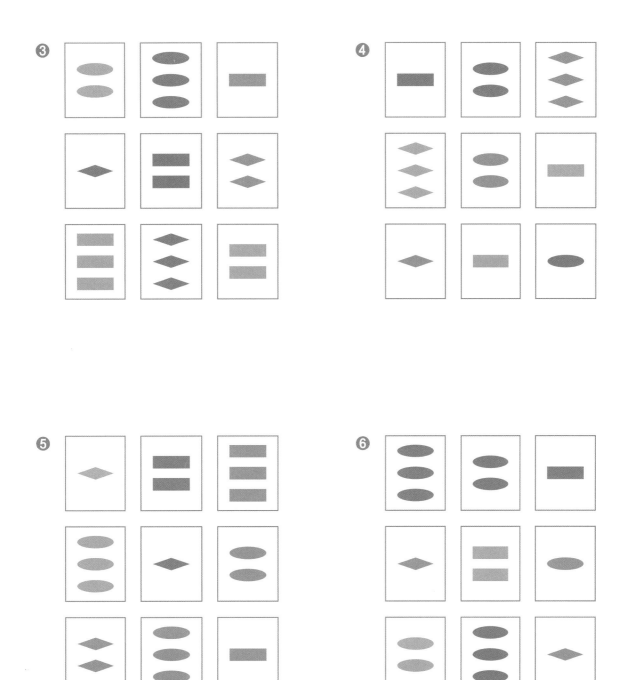

규칙에 따라 단어를 나열하였습니다. 빈 곳에 알맞은 단어를 써넣으세요.

❶

| 작전 | 시작 | 도시 | | |

❷

| 나비 | 나라 | 나무 | | |

속성이 모두 같거나 모두 다른 카드 3장을 '셋(SET) 카드'라고 합니다. 다음 중 가로, 세로, 대각선 방향으로 셋 카드를 찾아 묶어 보세요. 카드는 색깔, 모양, 개수의 세 가지 속성이 있습니다.

❸ ❹
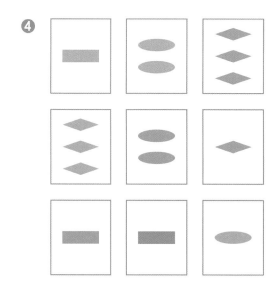

모양수

바둑돌로 수 나타내기

✎ 규칙에 맞게 수를 바둑돌로 나타내려고 합니다. 검은색 바둑돌을 놓아야 할 곳에 색칠하세요.
    왼쪽부터 순서대로 검은색 바둑돌이 나타내는 수는 다음과 같습니다.

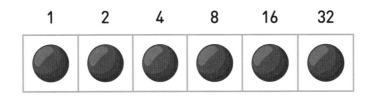

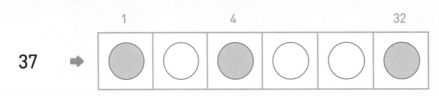

37 = 32 + 4 + 1이므로 1, 4, 32를 나타내는 위치에 색칠합니다.
37 = 32 + 2 + 2 + 1과 같이 같은 수가 여러 번 나오지 않도록 주의합니다.

바둑돌과 덧셈을 이용하면 0부터
63(1 + 2 + 4 + 8 + 16 + 32)까지의
수를 나타낼 수 있어.

❶ 25 ➡ ◯ ◯ ◯ ◯ ◯ ◯

❷ 19 ➡ ◯ ◯ ◯ ◯ ◯ ◯

❸ 50 ➡ 〇 〇 〇 〇 〇 〇

❹ 39 ➡ 〇 〇 〇 〇 〇 〇

❺ 44 ➡ 〇 〇 〇 〇 〇 〇

❻ 57 ➡ 〇 〇 〇 〇 〇 〇

❼ 60 ➡ 〇 〇 〇 〇 〇 〇

❽ 53 ➡ 〇 〇 〇 〇 〇 〇

글자를 컴퓨터나 기계가 읽을 수 있도록 막대 모양으로 나타낸 것을 바코드라고 합니다. 규칙을 찾아 다음 바코드의 세 자리 숫자 코드를 구하세요.

8 480000 330451

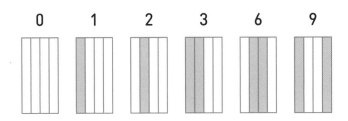

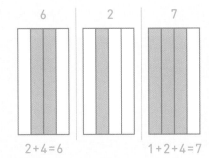

627

각 칸이 나타내는 숫자는 다음과 같습니다.

1 2 4 8

색칠된 칸이 나타내는 수가 각각 몇인지 알아봐.

❶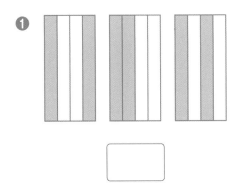

❷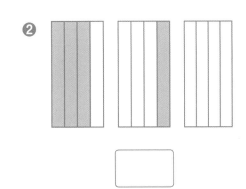

❸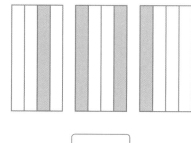

❹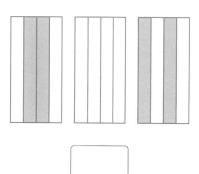

❺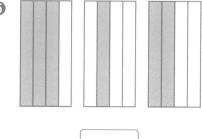

❻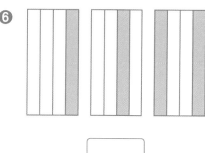

❼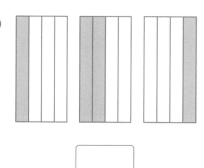

❽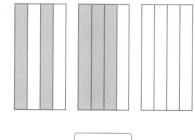

칸이 나타내는 수

✏️ 규칙을 찾아 수로 나타내거나 알맞게 색칠하세요.

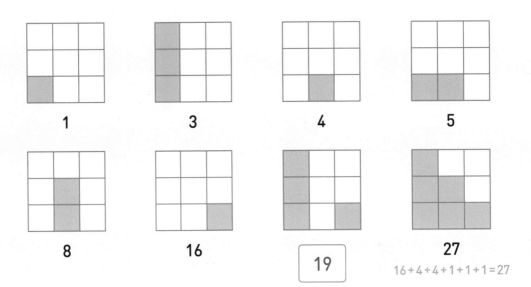

1	4	16
1	4	16
1	4	16

왼쪽 칸은 1, 가운데 칸은 4,
오른쪽 칸은 16을 나타냅니다.

19

16+1+1+1=19

16+4+4+1+1+1=27

먼저 각 칸이 나타내는
수를 찾아야 해.

❶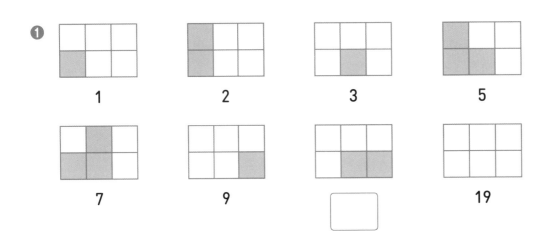

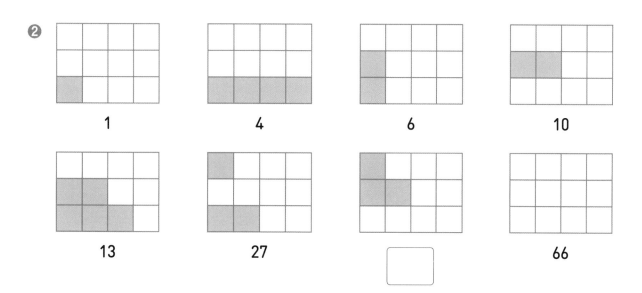

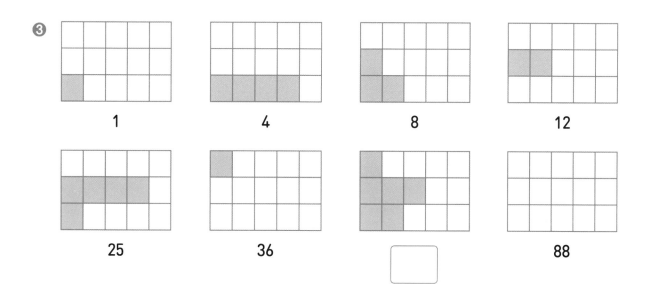

모양이 나타내는 수

✏️ 규칙에 맞게 수를 나타낸 것입니다. 물음에 답하세요.

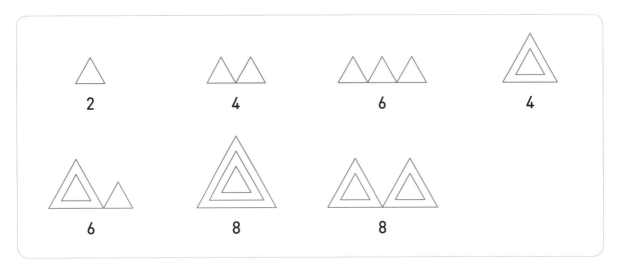

① △를 옆으로 나란히 놓았을 때의 규칙을 생각해 보고, 빈 곳에 알맞은 수를 써넣으세요.

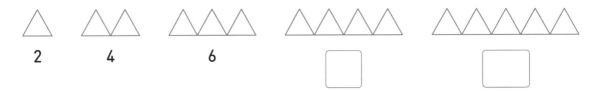

② △에 더 큰 △를 씌었을 때의 규칙을 생각해 보고, 빈 곳에 알맞은 수를 써넣으세요.

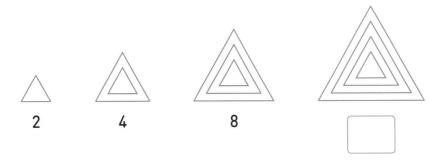

❸ 빈 곳에 모양이 나타내는 수를 쓰세요.

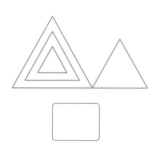

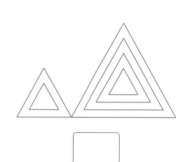

❹ 다음 수가 나타내는 것을 모양으로 나타내세요.

△6개를 이용하여 14 만들기

△9개를 이용하여 42 만들기

여러 가지 도형 암호

✏️ 규칙에 맞게 수를 알맞게 나타내세요.

❶

1

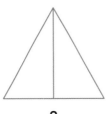

2

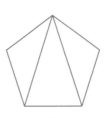

3

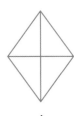

4

6

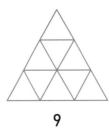

9

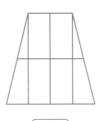

☐

☐

❷

1

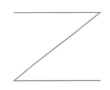

2

3

5

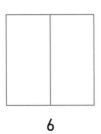

6

7

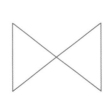

☐

☐

❸

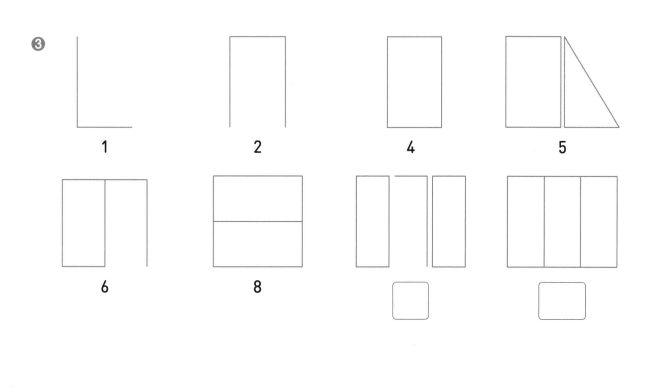

1   2   4   5

6   8

❹

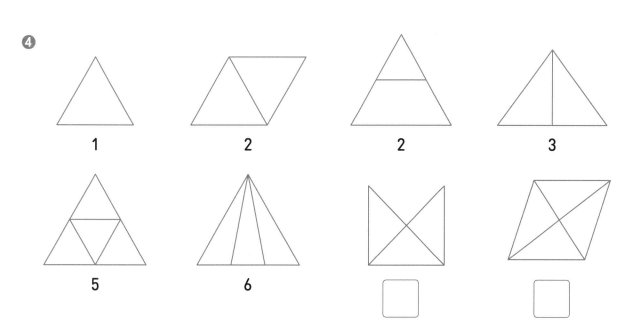

1   2   2   3

5   6

✎ 규칙을 찾아 수로 나타내거나 알맞게 색칠하세요.

❶

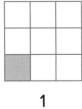
1

2

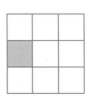
4

7

10

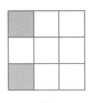
17

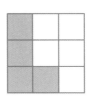

39

✎ 규칙에 맞게 수를 알맞게 나타내세요.

❷

32

41

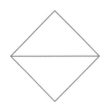
42

53

64

66

유비 추론

단어 유추

주어진 두 단어 사이의 관계와 다른 하나를 찾아 ✕표 하세요.

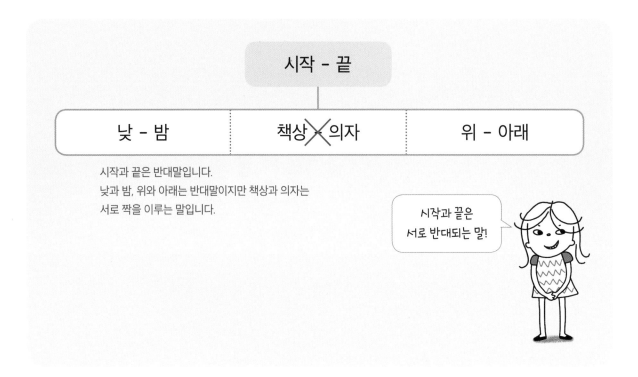

시작 - 끝

| 낮 - 밤 | 책상 ✕ 의자 | 위 - 아래 |

시작과 끝은 반대말입니다.
낮과 밤, 위와 아래는 반대말이지만 책상과 의자는
서로 짝을 이루는 말입니다.

시작과 끝은
서로 반대되는 말!

❶
대한민국 - 대전

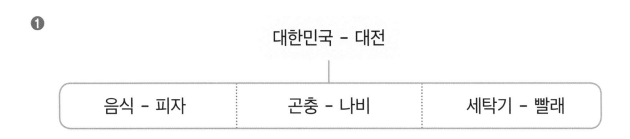

| 음식 - 피자 | 곤충 - 나비 | 세탁기 - 빨래 |

❷
책방 - 서점

| 놀이터 - 공원 | 산울림 - 메아리 | 달걀 - 계란 |

❸

구두 – 가죽

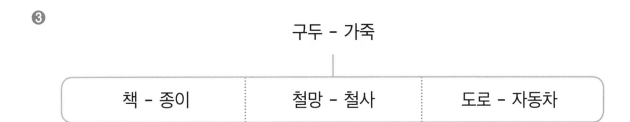

| 책 – 종이 | 철망 – 철사 | 도로 – 자동차 |

❹

정수기 – 물

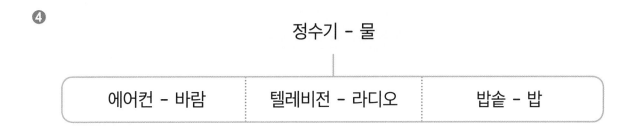

| 에어컨 – 바람 | 텔레비전 – 라디오 | 밥솥 – 밥 |

❺

진돗개 – 개

| 삼각형 – 평면도형 | 트럭 – 자동차 | 김치 – 배추 |

❻

그네 – 미끄럼틀

| 개구리 – 올챙이 | 사이다 – 콜라 | 영국 – 프랑스 |

왼쪽 두 도형의 관계를 보고 오른쪽 두 도형도 같은 관계가 되도록 빈 곳에 알맞은 도형을 그려 보세요.

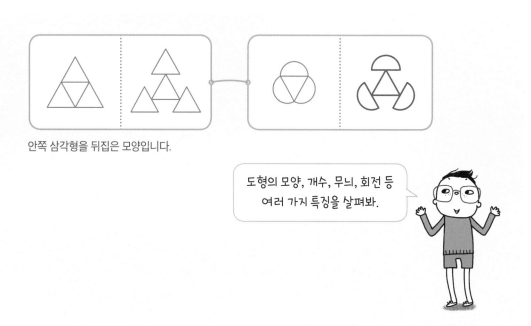

안쪽 삼각형을 뒤집은 모양입니다.

도형의 모양, 개수, 무늬, 회전 등
여러 가지 특징을 살펴봐.

❶

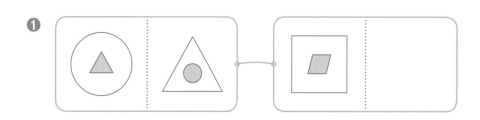

❷

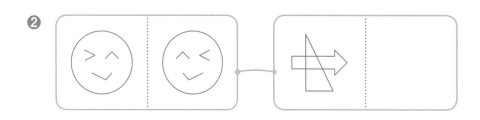

❸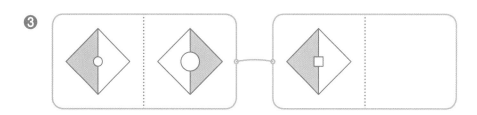

❹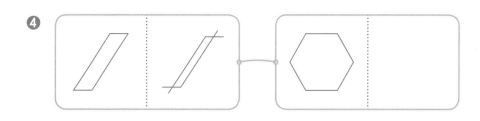

❺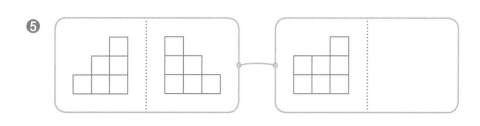

❻

규칙에 맞게 수가 배치되어 있습니다. 빈 곳에 알맞은 수를 써넣으세요.

8	13	5	18
7	1	6	7
2	6	4	10
5	11	6	17

바뀐 것이 두 가지인 경우도
있으니 꼼꼼히 살펴봐야 해.

가로 방향으로
첫 번째 수와 두 번째 수의 차가 세 번째 수입니다.
두 번째 수와 세 번째 수의 합이 네 번째 수입니다.

❶

8	3	11	14
5	1	6	
4	2	6	8
3	7		17

❷

6	2	12	14
4	1	4	5
3	5	15	
2	5		15

❸

3	9	2	1
7	9	6	5
1	7	8	
6	5		6

❹

10	2	5	3
8	1	8	
14	7	2	5
15	5		2

❺

9	2	4	1
11	4	2	3
15	3		0
14	8	1	

❻

4	6	4	2
2	9	8	1
3	5		1
7	3	1	

매트릭스 유추 (1)

✏️ 다음 그림들 사이에는 어떤 규칙이 있습니다. 배열 규칙을 찾아 기호를 써서 매트릭스를 완성하세요.

오른쪽으로 갈수록 커지고,
아래쪽으로 갈수록 색깔이 진해집니다.

가로, 세로 방향으로
규칙을 찾아봐.

❶

❷

㉠ ○○
   ○○

㉡ ○

㉢ ○
    ○

㉣ ○○
   ○○
   ○○

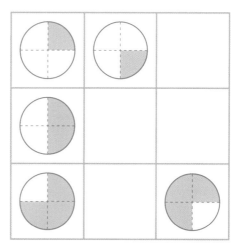

❸

㉠ (원, 오른쪽 위와 아래 칸 음영)

㉡ (원, 왼쪽 절반 음영)

㉢ (원, 오른쪽 아래 칸 음영)

㉣ (원, 아래 절반 음영)

매트릭스 유추 (2)

✏️ 다음은 어떤 규칙에 따라 도형을 그린 것입니다. 네 번째 매트릭스를 완성하세요.

첫 번째   두 번째   세 번째   네 번째

도형이 시계 반대 방향으로 한 칸씩 이동합니다.

도형의 위치가 어떻게
바뀌는지 알아봐.

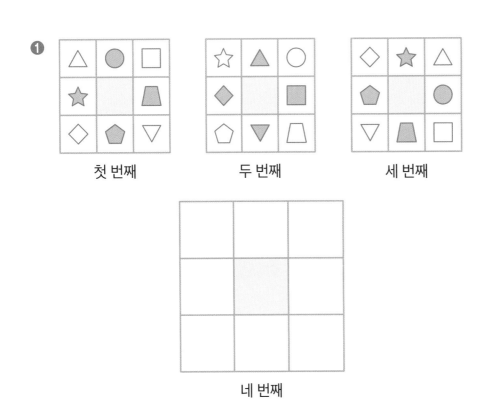

❶   첫 번째   두 번째   세 번째

네 번째

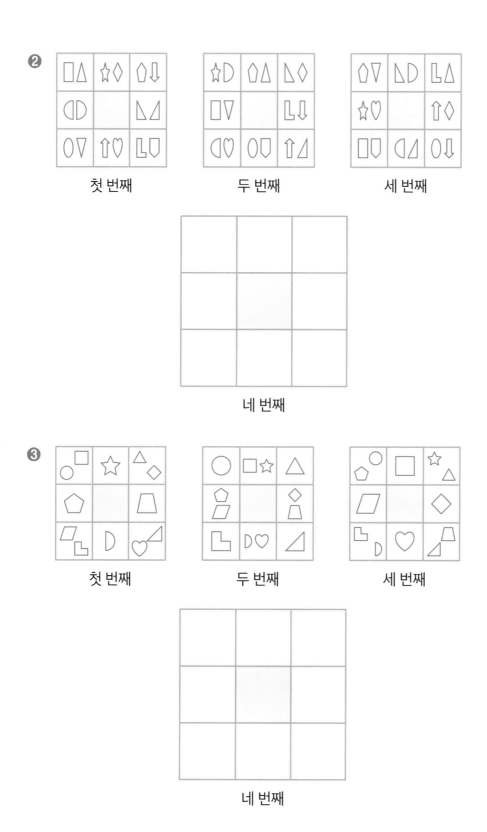

②

첫 번째

두 번째

세 번째

네 번째

③

첫 번째

두 번째

세 번째

네 번째

확인학습

✏️ 규칙에 맞게 수가 배치되어 있습니다. 빈 곳에 알맞은 수를 써넣으세요.

❶

7	6	3	10
9	1	5	5
4	12	6	
2	7		8

❷

3	2	6	4
5	4	20	16
2	7	14	
4	6		18

✏️ 다음은 어떤 규칙에 따라 도형을 그린 것입니다. 네 번째 매트릭스를 완성하세요.

❸

첫 번째

두 번째

세 번째

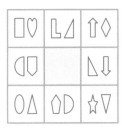

네 번째

약속대로 계산하기

✏️ 기호의 약속을 보고 순서대로 계산한 후 계산 결과를 빈 곳에 써넣으세요.

• 약속 •

⭐ : **2**배 합니다.

● : 반으로 나눕니다.

■ : **3**을 더합니다.

▲ : **3**을 뺍니다.

24 ● ■ ⭐ = $\boxed{30}$

$24 \div 2 = 12 \Rightarrow 12 + 3 = 15 \Rightarrow 15 \times 2 = 30$

35 ▲ ● ■ = $\boxed{19}$

$35 - 3 = 32 \Rightarrow 32 \div 2 = 16 \Rightarrow 16 + 3 = 19$

기호 순서에 맞게
계산해야 해!

❶ **• 약속 •**

⭐ : **3**배 합니다.

● : **4**배 합니다.

■ : **10**을 더합니다.

▲ : **15**를 더합니다.

16 ■ ● ▲ = $\boxed{}$

7 ⭐ ▲ ● = $\boxed{}$

❷ **약속**

- ◆ : **10**배 합니다.
- ▼ : **10**으로 나누었을 때 나머지입니다.
- ♥ : **7**을 더합니다.
- ● : **7**을 뺍니다.

5 ◆ ♥ ▼ = ☐

43 ● ▼ ◆ = ☐

❸ **약속**

- ▣ : **4**로 나누었을 때 몫입니다.
- ▼ : **4**로 나누었을 때 나머지입니다.
- ★ : **5** 큰 수입니다.
- ● : **5** 작은 수입니다.

54 ★ ▣ ▼ = ☐

90 ▣ ● ▼ = ☐

❹ **약속**

- ◈ : 각 자리 숫자를 더합니다.
- ▣ : 각 자리 숫자를 곱합니다.
- ◐ : **2**로 나눕니다.
- ◑ : **3**으로 나눕니다.

47 ▣ ◐ ◈ = ☐

87 ◐ ▣ ◈ = ☐

이중 약속

✎ 약속에 맞게 수를 나열하세요.

┌─ • 약속 • ─────────────────────────┐
│   │
│ • 한 자리 수는 그 수를 두 번 곱합니다.   │
│   │
│ • 두 자리 수는 각 자리 숫자를 더합니다.   │
│   │
└────────────────────────────────────┘

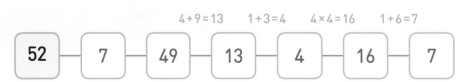

$4+9=13$ $1+3=4$ $4×4=16$ $1+6=7$

| 52 | — | 7 | — | 49 | — | 13 | — | 4 | — | 16 | — | 7 |

52는 두 자리 수이므로 **5 + 2 = 7**
7은 한 자리 수이므로 **7 × 7 = 49**

먼저 어떤 수인지
살펴본 후 약속에 맞게
계산하기만 하면 돼.

❶ ┌─ • 약속 • ─────────────────────────┐
│   │
│ • 한 자리 수는 **2**를 곱합니다.   │
│   │
│ • 두 자리 수는 각 자리 숫자를 더한 후 **2**를 더합니다. │
│   │
└────────────────────────────────────┘

| 11 | — | | — | | — | | — | | — | | — | |

❷ **약속**
- 짝수는 **2**로 나눕니다.
- 홀수는 **1**을 뺍니다.

95 —

❸ **약속**
- 짝수는 **2**로 나눕니다.
- 홀수는 **1**을 더한 후 **2**를 곱합니다.

34 —

❹ **약속**
- 30보다 작거나 같은 수는 **3**을 곱합니다.
- 30보다 큰 수는 **2**로 나눕니다.

32 —

✏️ 약속에 맞게 ☐ 안에 알맞은 수를 써넣으세요.

• 약속 •
A ■ B: A에 B를 두 번 더합니다.

4 ■ 5 = ☐14☐

4+5+5=14

3 ■ ☐8☐ = 19

3+☐+☐=19
☐+☐=16
☐=8

약속에 맞게 식으로 나타내면 어렵지 않게 풀 수 있어.

❶ • 약속 •
A ★ B: 두 수 중 작은 수에서 1을 뺍니다.

6 ★ 7 = ☐

8 ★ ☐ = 2

❷ • 약속 •
A ● B: 큰 수에서 작은 수를 뺍니다.

7 ● 3 = ☐

☐ ● 4 = 5

❸ • 약속 •

A ● B: 두 수 중 큰 수를 2배 합니다.

4 ● 6 = ☐

☐ ● 9 = 22

❹ • 약속 •

A ▲ B: 두 수의 합의 반입니다.

7 ▲ 3 = ☐

6 ▲ ☐ = 10

❺ • 약속 •

A ★ B: A를 B번 곱합니다.

3 ★ 2 = ☐

2 ★ ☐ = 16

❻ • 약속 •

A ▲ B: A를 B로 나누었을 때 나머지입니다.

22 ▲ 8 = ☐

7 ▲ ☐ = 3

연산 약속 (2)

✏️ 기호의 약속을 찾아 ☐ 안에 알맞은 수를 써넣으세요.

| 12 ★ 6 = 4 | 10 ★ 3 = 5 | 15 ★ 5 = 8 |

11 ★ 4 = ☐5☐

11 - 4 - 2 = 5

☐14☐ ★ 8 = 4

☐ - 8 - 2 = 4에서 ☐ = 14

★은 앞의 수에서 뒤의 수를 뺀 후, 2를 뺍니다.

두 수의 차를 구해 봐.
규칙이 보이지?

❶

| 3 ▲ 5 = 3 | 7 ▲ 2 = 2 | 9 ▲ 6 = 6 |

8 ▲ 12 = ☐

4 ▲ ☐ = 1

❷

| 2 ◆ 7 = 15 | 5 ◆ 1 = 12 | 16 ◆ 4 = 36 |

5 ◆ 12 = ☐

☐ ◆ 3 = 24

③

| 3 ▲ 6 = 18 | 7 ▲ 4 = 22 | 5 ▲ 2 = 14 |

9 ▲ 6 = ☐   ☐ ▲ 5 = 24

④

| 7 ◆ 3 = 20 | 4 ◆ 5 = 19 | 6 ◆ 2 = 11 |

8 ◆ 7 = ☐   3 ◆ ☐ = 17

⑤

| 7 ● 3 = 1 | 14 ● 4 = 2 | 19 ● 5 = 4 |

17 ● 2 = ☐   5 ● ☐ = 2

⑥

| 2 ★ 5 = 21 | 6 ★ 1 = 35 | 4 ★ 5 = 9 |

7 ★ 3 = ☐   2 ★ ☐ = 12

도형 약속

✏️ 다음 중 수가 놓인 규칙이 다른 하나를 찾아 ✕표 하세요.

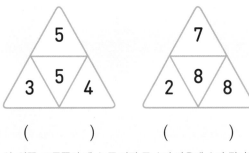

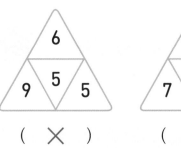

(   )   (   )   (✕   )   (   )

위, 왼쪽, 오른쪽의 세 수 중 가장 큰 수가 가운데 수가 됩니다.

> 위, 왼쪽, 오른쪽의
> 세 수 중 어떤 수가
> 가운데에 있는지 생각해 봐.

❶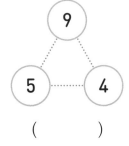

9	5	8	8
5 4	3 8	2 6	1 7
( )	( )	( )	( )

❷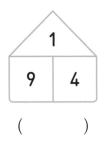

1	1	4	5
9 4	17 2	24 5	16 3
( )	( )	( )	( )

❸

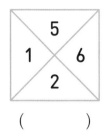
( )

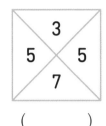
( )

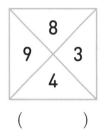
( )

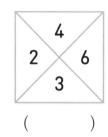
( )

❹

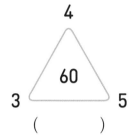

4
3 60 5
( )

6
3 36 2
( )

9
2 54 4
( )

4
6 96 4
( )

❺

1
2 58 6
4
( )

7
3 96 3
2
( )

2
1 75 4
5
( )

3
7 86 1
3
( )

❻

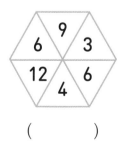
( )

6 9 3 / 12 4 6
( )

7 3 6 / 2 5 1
( )

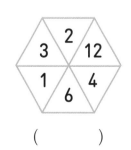
( )

2 6 8 / 3 4 12
( )

✏️ 기호의 약속을 찾아 ☐ 안에 알맞은 수를 써넣으세요.

❶

| $2 ◆ 3 = 9$ | $5 ◆ 4 = 24$ | $6 ◆ 8 = 56$ |

$4 ◆ 5 =$ ☐　　　　☐ $◆ 2 = 18$

❷

| $8 ▲ 5 = 4$ | $2 ▲ 4 = 3$ | $11 ▲ 3 = 9$ |

$8 ▲ 9 =$ ☐　　　　$6 ▲$ ☐ $= 8$

✏️ 다음 중 수가 놓인 규칙이 다른 하나를 찾아 ✕표 하세요.

❸

10
9	1

(　　　)

21
5	4

(　　　)

20
3	7

(　　　)

55
6	9

(　　　)

❹

2　9
4
4　3

(　　　)

10　7
10
2　5

(　　　)

5　5
1
5　4

(　　　)

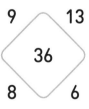
9　13
36
8　6

(　　　)

마무리 평가

마무리 평가는 앞에서 공부한 4주차의 유형이 다음과 같은 순서로 나와요.
틀린 문제는 몇 주차인지 확인하여 반드시 다시 한 번 학습하도록 해요.

1주차	**3**주차
2주차	**4**주차

➕ 도형의 모양, 색깔, 채우기 중 한 가지 속성만 다른 도형끼리 서로 이웃하도록 연결된 고리입니다. 잘못 연결된 고리를 찾아 ✕표 하세요.

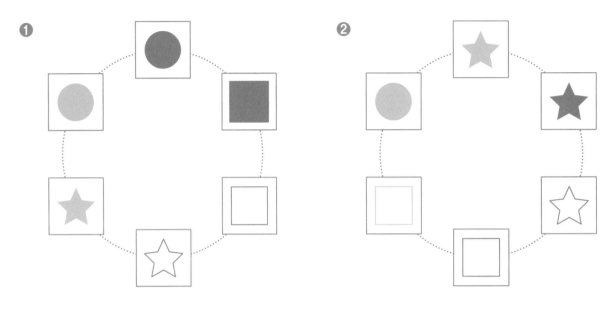

➕ 규칙에 맞게 수를 바둑돌로 나타내려고 합니다. 검은색 바둑돌을 놓아야 할 곳에 색칠하세요.

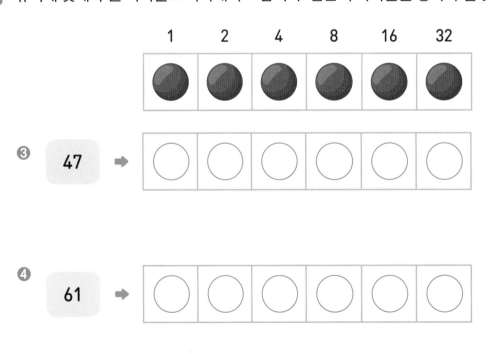

규칙에 맞게 수가 배치되어 있습니다. 빈 곳에 알맞은 수를 써넣으세요.

❺

7	2	5	10
9	3	6	18
15	8		56
	4	9	36

❻

8	6	4	2
3	9	2	7
7	8		3
6	5	1	

약속에 맞게 수를 나열하세요.

❼
약속
- 한 자리 수는 **4**를 곱합니다.
- 두 자리 수는 각 자리 숫자를 더한 후 **1**을 더합니다.

6 —□—□—□—□—□—□

❽
약속
- 짝수는 **2**로 나눕니다.
- 홀수는 **3**을 더합니다.

34 —□—□—□—□—□—□

✦ 규칙에 따라 단어를 나열하였습니다. 빈 곳에 알맞은 단어를 써넣으세요.

❶ 운동화 ➡ 청바지 ➡ [　　　　] ➡ 모자

❷ 금붕어 ➡ [　　　　] ➡ 동물 ➡ 생명체

✦ 규칙에 맞게 수를 알맞게 나타내세요.

❸

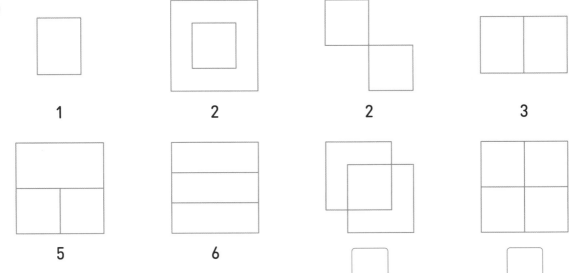

1　　　　2　　　　2　　　　3

5　　　　6

왼쪽 두 도형의 관계를 보고 오른쪽 두 도형도 같은 관계가 되도록 빈 곳에 알맞은 도형을 그려 보세요.

❹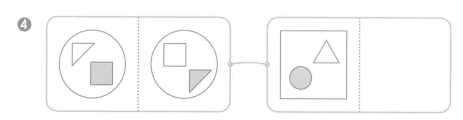

❺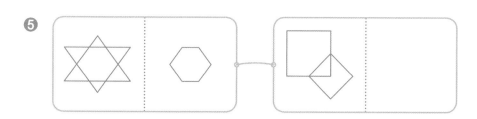

다음 중 수가 놓인 규칙이 다른 하나를 찾아 ✕표 하세요.

❻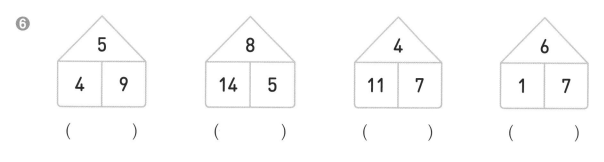

❼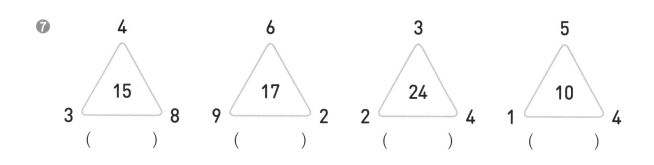

♣ 단추의 모양, 색깔, 구멍의 개수 중 한 가지 속성만 같은 단추끼리 이웃하도록 나열하였습니다. 빈 곳에 들어갈 단추를 찾아 기호를 쓰세요.

❶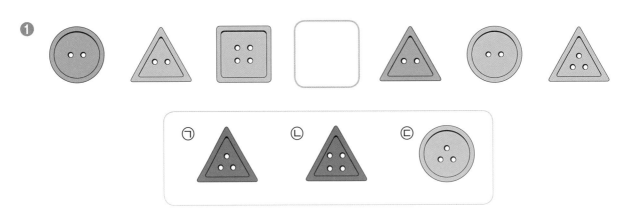

♣ 규칙에 맞게 수를 나타낸 것입니다. 빈 곳에 모양이 나타내는 수를 쓰세요.

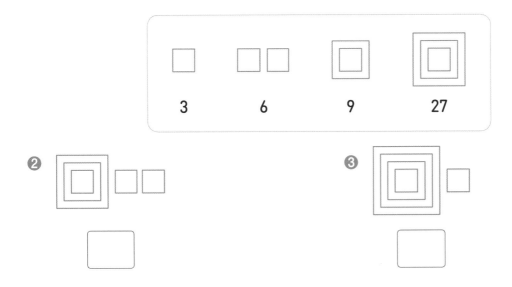

✤ 주어진 두 단어 사이의 관계와 다른 하나를 찾아 ✕표 하세요.

❹

빛 – 어둠

| 왼쪽 – 오른쪽 | 달 – 별 | 출발 – 정지 |

❺

속 – 안

| 마을 – 동네 | 슬기 – 지혜 | 부산 – 인천 |

✤ 기호의 약속을 보고 순서대로 계산한 후 계산 결과를 빈 곳에 써넣으세요.

약속

◆ : 2배 합니다.

▼ : 반으로 나눕니다.

♥ : 6을 더합니다.

● : 6을 뺍니다.

❻ 9 ◆ ● ▼ = ☐

❼ 26 ● ▼ ♥ = ☐

♦ 규칙에 따라 단어를 나열하였습니다. 빈 곳에 알맞은 단어를 써넣으세요.

❶ 음악 ── 악기 ── 기도 ── ☐ ── ☐

❷ 삼각형 ── 각도기 ── 도시락 ── ☐ ── ☐

♦ 규칙을 찾아 수로 나타내거나 알맞게 색칠하세요.

❸

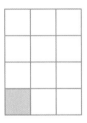
1

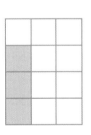
3

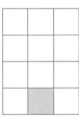
5

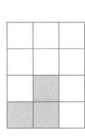
11

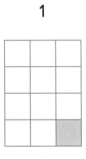
25

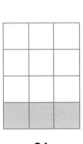
31

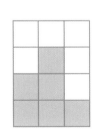
☐

68

❖ 다음 그림들 사이에는 어떤 규칙이 있습니다. 배열 규칙을 찾아 기호를 써서 매트릭스를 완성하세요.

❹
ㄱ 　　ㄴ

ㄷ 　　ㄹ

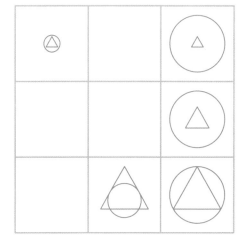

❖ 약속에 맞게 ☐ 안에 알맞은 수를 써넣으세요.

❺　• 약속 •
A ★ B: 두 수 중 작은 수를 3배 합니다.

7 ★ 5 = ☐

11 ★ ☐ = 12

❻　• 약속 •
A ★ B: A에서 B를 두 번 뺍니다.

21 ★ 8 = ☐

17 ★ ☐ = 3

✤ 속성이 모두 같거나 모두 다른 카드 3장을 '셋(SET) 카드'라고 합니다. 다음 중 가로, 세로, 대각선 방향으로 셋 카드를 찾아 묶어 보세요. 카드는 색깔, 모양, 개수의 세 가지 속성이 있습니다.

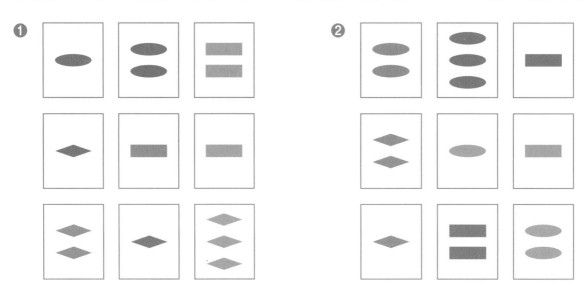

✤ 규칙을 찾아 다음 바코드의 네 자리 숫자 코드를 구하세요.

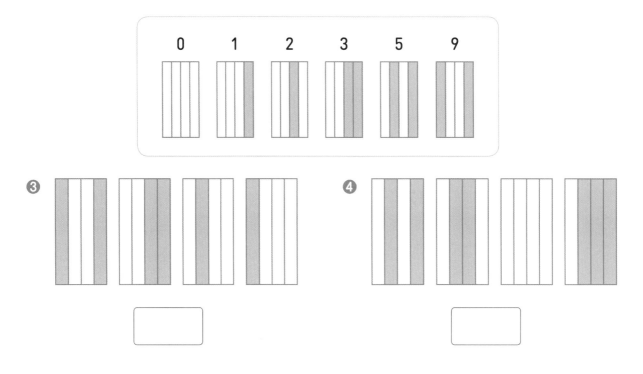

❖ 다음은 어떤 규칙에 따라 도형을 그린 것입니다. 네 번째 매트릭스를 완성하세요.

❺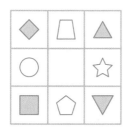

첫 번째

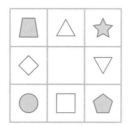

두 번째

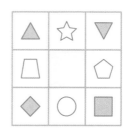

세 번째

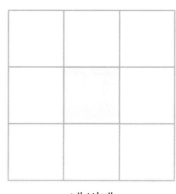

네 번째

❖ 기호의 약속을 찾아 ☐ 안에 알맞은 수를 써넣으세요.

❻

$2 ▲ 3 = 8$	$3 ▲ 4 = 81$	$5 ▲ 2 = 25$

$7 ▲ 2 = \boxed{}$ $2 ▲ \boxed{} = 32$

❼

$15 ◆ 5 = 6$	$12 ◆ 6 = 4$	$21 ◆ 3 = 14$

$35 ◆ 7 = \boxed{}$ $8 ◆ \boxed{} = 4$

pensées

지식과상상 연구소 since 2013

대표 한헌조, 연구소장 김성국

창의적인 **생각** 재미 가득 **활동** 의미 있는 **지식** 자유로운 **상상** 을

수학이라는 그릇에 아름답게 담아내겠습니다.

교구 프로그램

- 우리 아이 첫 번째 선물 **아토**
- 유아 수학 7대 지능 프로그램 **마테킨더**
- 유아 창의사고력 활동 수학 프로그램 **씨투엠키즈**
- 초등 창의사고력 수학 교구 프로그램 **씨투엠클래스**
- 초등 교과 창의 보드게임 **초등 수학 교구 상자**
- 사고가 자라는 수학 **매쓰업**
- 3D 두뇌 트레이닝 **지오플릭**
- 생각을 감는 두뇌회전 놀이 **릴브레인**

교재 시리즈

- 공간 감각을 위한 하루 10분 도형 학습지 **플라토**
- 실전 사고력 수학 프로그램 **씨투엠RAT**
- 하루 10분 서술형/문장제 학습지 **수학독해**
- 상위권으로 가는 문제해결 연산 학습지 **응용연산**
- 사고력수학의 시작 **팡세**

수학으로 하나되는 무한 상상공간 필즈엠 카페

| 필즈엠 ▼ |

http://cafe.naver.com/fieldsm

1. 답안지 분실 시 다운로드
2. 교구 활동지 다운로드
3. 연령별 학습 커리큘럼 제안
4. 교육 모임
5. 영상 학습자료 지원

필즈엠 카페는 최신 교육정보 및 다양한 학습자료를 자유롭게 공유하는 열린 공간입니다.

'사고력수학의 시작'

팡세

D3
정답과 풀이

DAY 1 단어 고리 (1)

규칙에 따라 단어를 나열하였습니다. 빈 곳에 알맞은 단어를 써넣으세요.

위치 — 치약 — 약국 — 국자 — 자석

두 글자이면서 앞 단어의 두 번째 글자가 그 다음 단어의 첫 번째 글자입니다.

규칙에 맞게 빈 곳에 단어를 써 봐. 답은 여러 가지가 될 수 있어.

이 외에도 여러 가지 방법이 있습니다.

❶ 수학 — 학교 — 교가 — 가지 — 지름

두 글자이면서 앞의 단어의 두 번째 글자가 그 다음 단어의 첫 번째 글자입니다.

❷ 울청이 — 이야기 — 기술자 — 자전거 — 거짓말

세 글자이면서 앞 단어의 세 번째 글자가 그 다음 단어의 첫 번째 글자입니다.

❸ 사전 — 판사 — 심판 — 조심 — 체조

두 글자이면서 앞의 단어의 첫 번째 글자가 그 다음 단어의 두 번째 글자입니다.

❹ 오소리 — 소나무 — 나무문 — 무지개 — 지구본

세 글자이면서 앞의 단어의 두 번째 글자가 그 다음 단어의 첫 번째 글자입니다.

이 외에도 여러 가지 방법이 있습니다.

❺ 기차 — 기린 — 기적 — 기본 — 기회

두 글자이면서 기로 시작하는 단어입니다.

❻ 의자 — 과자 — 한자 — 모자 — 사자

두 글자이면서 자로 끝나는 단어입니다.

❼ 기러기 — 토마토 — 아시아 — 일요일 — 사육사

세 글자이면서 첫 번째 글자와 세 번째 글자가 똑같은 단어입니다.

pensées

DAY 2 단어 고리 (2)

규칙에 따라 단어를 나열하였습니다. 빈 곳에 알맞은 단어를 써넣으세요.

자전거 → 승용차 → 버스 → 기차

승합차, 트럭 등
여러 가지가 있습니다.

탈것이면서 크기가 점점 커지고 있습니다.
따라서 빈 곳에는 승용차보다 크고 기차보다 작은 탈 것을 써넣습니다.

❶ 유치원 → 초등학교 → 중학교 → 고등학교

교육 기관이면서 다니는 아이 또는 학생의 나이가 점점 많아지고 있습니다.

❷ 참새 → 비둘기 → 기러기 → 독수리

갈매기, 올빼미 등

조류(새)이면서 크기가 점점 커지고 있습니다.

❸ 다람쥐 → 고양이 → 늑대 → 코끼리

토끼, 양 등

땅 위에 있는 동물이면서 크기가 점점 커지고 있습니다.

화살표 방향대로 물건의 크기가 점점 커지고 있지?

❹ 체리 → 귤 → 사과 → 파인애플

복숭아, 배 등

과일이면서 크기가 점점 커지고 있습니다.

❺ 알 → 애벌레 → 번데기 → 나비

알에서 나비까지 되는 과정입니다.

❻ 제비 → 새 → 동물 → 생명체

포함되는 관계가 점점 커지고 있습니다.

❼ 서울 → 대한민국 → 아시아 → 지구

지역이 점점 커지고 있습니다.

속성과 분류

pensées

DAY 3 속성 고리 (1)

도형이 모양, 색깔, 채우기 중 한 가지 속성만 다른 도형끼리 서로 이웃하도록 연결된 고리입니다. 잘못 연결된 고리를 찾아 ×표 하세요.

모양, 색깔, 채우기 속성을 하나하나씩 따져봐야 해.

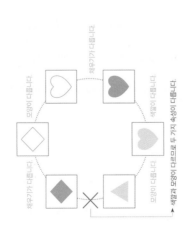

채우기가 다릅니다. 모양이 다릅니다. 색깔이 다릅니다. 모양이 다릅니다. 채우기가 다릅니다. 색깔과 모양이 두 가지 속성이 다릅니다.

① 모양과 채우기가 다르므로 두 가지 속성이 다릅니다.

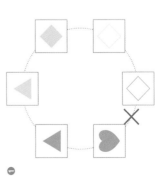

② 색깔과 채우기가 다르므로 두 가지 속성이 다릅니다.

③ 모양과 색깔이 다르므로 두 가지 속성이 다릅니다.

④ 모양과 색깔이 다르므로 두 가지 속성이 다릅니다.

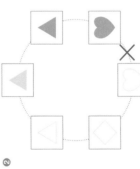

⑤ 색깔과 채우기가 다르므로 두 가지 속성이 다릅니다.

⑥ 모양과 색깔이 다르므로 두 가지 속성이 다릅니다.

DAY 4

속성 고리 (2)

단추의 모양, 색깔, 구멍의 개수 중 한 가지 속성만 같은 단추끼리 이웃하도록 나열하였습니다. 빈 곳에 들어갈 단추를 찾아 기호를 쓰세요.

모양이 같습니다.

구멍의 개수가 같습니다.

색깔이 같습니다.

구멍의 개수가 같습니다.

눈 삼각형 모양, 파란색, 구멍이 2개인 단추야.

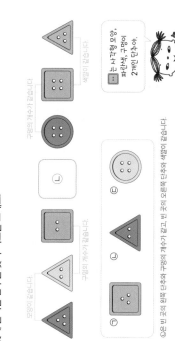

ⓒ은 빈 곳의 왼쪽 단추와 구멍의 개수가 같고, 빈 곳의 오른쪽 단추와 색깔이 같습니다.

❶

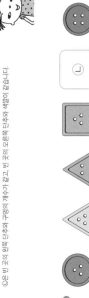

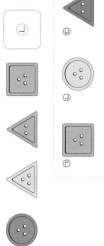

ⓒ은 빈 곳의 왼쪽 단추와 구멍의 개수가 같고, 빈 곳의 오른쪽 단추와 모양이 같습니다.

---

practices

❷

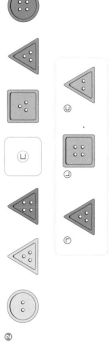

ⓒ은 빈 곳의 왼쪽 단추와 모양이 같고, 빈 곳의 오른쪽 단추와 색깔이 같습니다.

❸

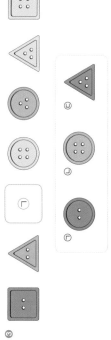

ⓒ은 빈 곳의 왼쪽 단추와 구멍의 개수가 같고, 빈 곳의 오른쪽 단추와 모양이 같습니다.

❹

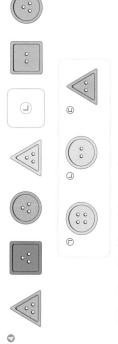

ⓒ은 빈 곳의 왼쪽 단추와 색깔이 같고, 빈 곳의 오른쪽 단추와 구멍의 개수가 같습니다.

1주차 속성과 분류

DAY 5 셋(SET) 카드

◈ 속성이 모두 같거나 모두 다른 카드 3장을 '셋(SET) 카드'라고 합니다. 다음 중 가로, 세로, 대각선 방향으로 셋 카드를 찾아 묶어 보세요. 카드는 색깔, 모양, 개수의 세 가지 속성이 있습니다.

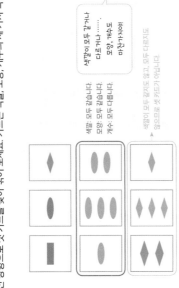

색깔: 모두 같습니다.
모양: 모두 같습니다.
개수: 모두 다릅니다.

▲ 색깔이 모두 같지도 않고 모두 다르지도
않으므로 셋 카드가 아닙니다.

색깔이 모두 같거나 ……
다르거나 모양, 개수도
마찬가지예요

①
색깔: 모두 다릅니다.
모양: 모두 같습니다.
개수: 모두 같습니다.

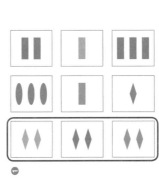

②
색깔: 모두 같습니다.
모양: 모두 다릅니다.
개수: 모두 같습니다.

③
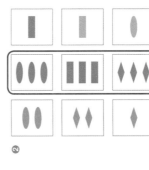

색깔: 모두 다릅니다.
모양: 모두 같습니다.
개수: 모두 다릅니다.

④
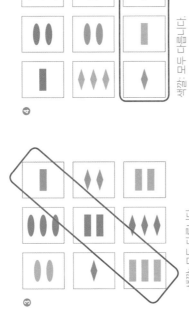

색깔: 모두 다릅니다.
모양: 모두 다릅니다.
개수: 모두 같습니다.

⑤
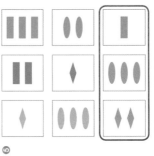

색깔: 모두 같습니다.
모양: 모두 다릅니다.
개수: 모두 다릅니다.

⑥
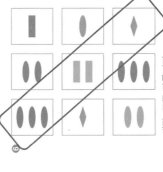

색깔: 모두 다릅니다.
모양: 모두 다릅니다.
개수: 모두 다릅니다.

확인학습

1 주차

이 외에도 여러 가지 방법이 있습니다.

◆ 규칙에 따라 단어를 나열하였습니다. 빈 곳에 알맞은 단어를 써넣으세요.

① 작전 — 시작 — 도시 — 지도 — 바지

두 글자이면서 앞의 단어의 첫 번째 글자가 그 다음 단어의 두 번째 글자입니다.

② 나비 — 나라 — 나무 — 나이 — 나사

두 글자이면서 나로 시작하는 단어입니다.

◆ 속성이 모두 같거나 모두 다른 카드 3장을 '셋(SET)' 카드라고 합니다. 다음 중 가로, 세로, 대각선 방향으로 셋 카드를 찾아 묶어 보세요. 카드는 색깔, 모양, 개수의 세 가지 속성이 있습니다.

③

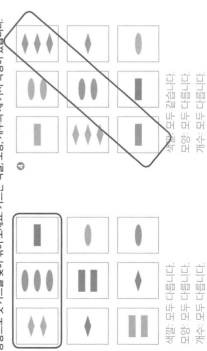

색깔: 모두 다릅니다.
모양: 모두 다릅니다.
개수: 모두 다릅니다.

④

색깔: 모두 같습니다.
모양: 모두 다릅니다.
개수: 모두 다릅니다.

모양 수

2주차

DAY 1

바둑돌로 수 나타내기

규칙에 맞게 수를 바둑돌로 나타내려고 합니다. 검은색 바둑돌을 놓아야 할 곳에 색칠하세요.

왼쪽부터 순서대로 검은색 바둑돌이 나타내는 수는 다음과 같습니다.

| 1 | 2 | 4 | 8 | 16 | 32 |

37

37=32+4+1이므로 1, 4, 32를 나타내는 위치에 색칠합니다.
37=32+2+2+1과 같이 같은 수가 여러 번 나오지 않도록 주의합니다.

바둑돌과 덧셈을 이용하면 0부터
63(1+2+4+8+16+32)함으로 나타낼
수를 나타낼 수 있어.

문제에 주어진 수를 1, 2, 4, 8, 16, 32의 합으로 나타내 봅니다.

❶ **25**

25 = 16 + 8 + 1

❷ **19**

19 = 16 + 2 + 1

❸ **50**

50 = 32 + 16 + 2

❹ **39**

39 = 32 + 4 + 2 + 1

❺ **44**

44 = 32 + 8 + 4

❻ **57**

57 = 32 + 16 + 8 + 1

❼ **60**

60 = 32 + 16 + 8 + 4

❽ **53**

53 = 32 + 16 + 4 + 1

DAY 2

바코드

글자를 컴퓨터나 기계가 읽을 수 있도록 막대 모양으로 나타낸 것을 바코드라고 합니다. 규칙을 찾아 다음 바코드의 세 자리 숫자 코드를 구하세요.

0   1   2   3   6   9

627

2+4=6   1+2+4=7

각 칸이 나타내는 숫자는 다음과 같습니다.

1 2 4 8

색칠된 칸이 나타내는 수가 각각 몇인지 알아봐.

①

9   3   5

935

②

7   8   0

780

0부터 9까지의 수를 바코드로 나타내면 다음과 같습니다.

0 1 2 3 4 5 6 7 8 9

③

4   9   1

491

⑤

3   2   7

723

⑦

8   3   1

138

④

6   0   5

605

⑥

8   4   9

849

⑧

5   7   0

570

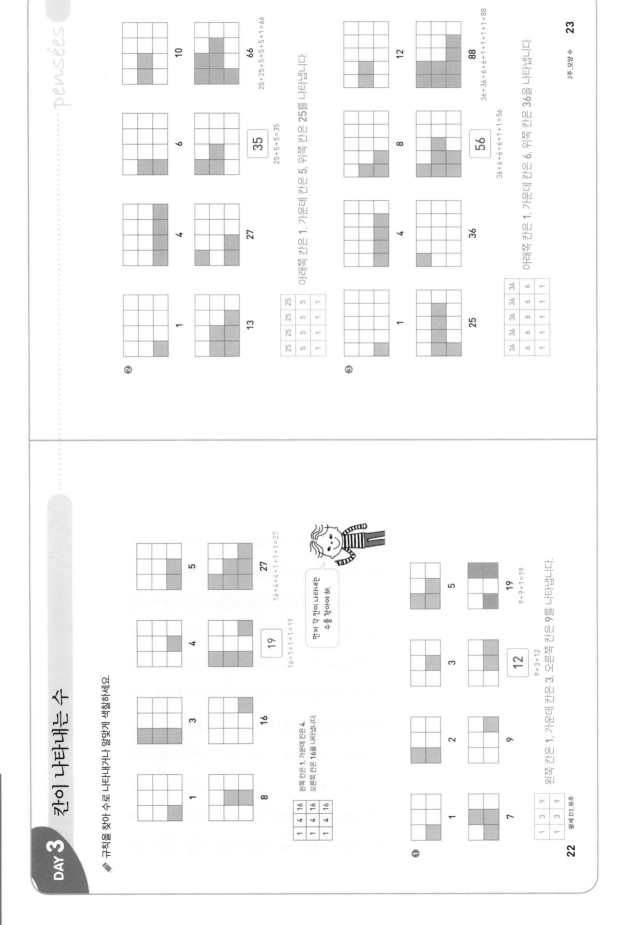

DAY 3 칸이 나타내는 수

규칙을 찾아 수로 나타내거나 알맞게 색칠하세요.

1   3   4   5

8   16   19   27

16+1+1=19

16+4+4+1+1=27

왼쪽 칸은 1, 가운데 칸은 4,
오른쪽 칸은 16을 나타냅니다.

1	4	16
1	4	16
1	4	16

먼저 각 칸이 나타내는
수를 찾아야 해.

❶

1   2   3   5

7   9   12   19

9+3=12

9+9+1=19

왼쪽 칸은 1, 가운데 칸은 3, 오른쪽 칸은 9를 나타냅니다.

1	3	9
1	3	9
1	3	9

팡세 D3.유추

22

---

1   4   6   10

13   27   35   66

25+5+5=35

25+5+5+5+1=66

아래쪽 칸은 1, 가운데 칸은 5, 위쪽 칸은 25를 나타냅니다.

❷

25	25	25
5	5	5
1	1	1

1   4   8   12

25   36   56   88

36+6+6+6+1+1=56

36+36+6+6+1+1=88

아래쪽 칸은 1, 가운데 칸은 6, 위쪽 칸은 36을 나타냅니다.

❸

36	36	36
6	6	6
1	1	1

2주_모양 수

23

pensées

DAY 4

모양이 나타내는 수

▦ 규칙에 맞게 수를 나타낸 것입니다. 물음에 답하세요.

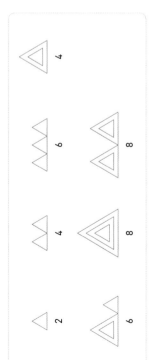

2
4
6
8

6
8
4

❶ △를 옆으로 나란히 놓았을 때의 규칙을 생각해 보고, 빈 곳에 알맞은 수를 써넣으세요.

2×2=4
2

2+2+2=6
4

2+2+2+2=8
6

2+2+2+2+2=10
8
10

△를 옆으로 나란히 놓으면 덧셈 규칙입니다.

❷ △에 더 큰 △를 씌웠을 때의 규칙을 생각해 보고, 빈 곳에 알맞은 수를 써넣으세요.

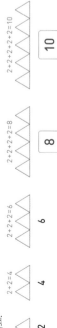

2×2=4
2

2×2×2=8
4

2×2×2=8
8

2×2×2×2=16
16

△에 더 큰 △를 씌우면 곱셈 규칙입니다.

❸ 빈 곳에 모양이 나타내는 수를 쓰세요.

10
8+2=10

12
8+4=12

32
2×2×2×2×2=32

20
4+16=20

❹ 다음 수가 나타내는 것을 모양으로 나타내세요.

△ 6개를 이용하여 **14** 만들기
8+2+2+2=14

△ 9개를 이용하여 **42** 만들기
32+8+2=42

이 외에도 여러 가지 방법이 있습니다.

2주차 모양 수

DAY 5 여러 가지 도형 암호

규칙에 맞게 수를 알맞게 나타내세요.

①

 1 2 3 4

6 9 8 11

나누어진 부분의 개수입니다.

②

1 2 3 5

6 7 5 10

선이 만나서 생기는 점의 개수입니다.

③

1 2 4 5

6 8 9 12

직각의 개수입니다.

④

 1 2 2 3

5 6 5 8

크고 작은 삼각형의 개수입니다.

pensées

✎ 규칙을 찾아 수로 나타내거나 알맞게 색칠하세요.

❶

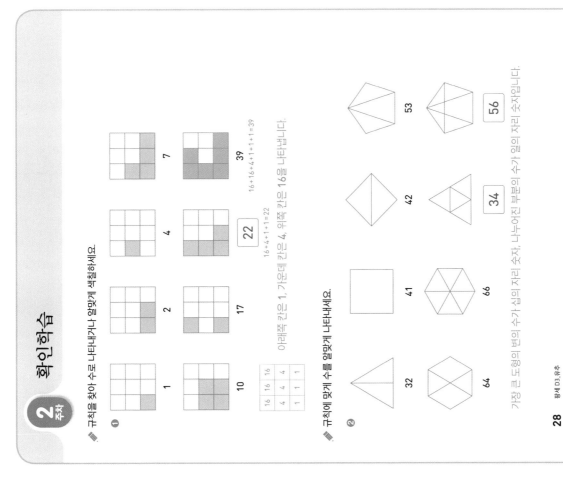

1   2   4   7

10   17   22   39

16	16	16
4	4	4
1	1	1

16+4+1+1=22

16+16+4+1+1+1=39

아래쪽 칸은 1, 가운데 칸은 4, 위쪽 칸은 16을 나타냅니다.

✎ 규칙에 맞게 수를 알맞게 나타내요.

❷

32   41   64

42   53

66   34   56

가장 큰 도형의 변의 수가 십의 자리 숫자, 나누어진 부분의 수가 일의 자리 숫자입니다.

3주차 유비 추론

DAY 1

단어 유추

✎ 주어진 두 단어 사이의 관계와 다른 하나를 찾아 ✕표 하세요.

시작 - 끝

| 낮 - 밤 | 책상 ✕ 의자 | 위 - 아래 |

시작과 끝은 반대말입니다.
낮과 밤, 위와 아래는 반대말이지만 책상과 의자는
서로 짝을 이루는 말입니다.

시작과 끝은
서로 반대되는 말

❶ **대한민국 - 대전**

| 음식 - 피자 | 곤충 - 나비 | 세탁기 ✕ 빨래 |

대전은 대한민국에 포함됩니다.
피자는 음식에 포함되고, 나비는 곤충에 포함됩니다.

❷ **책방 - 서점**

| 놀이터 ✕ 공원 | 산울림 - 메아리 | 달걀 - 계란 |

책방과 서점은 뜻이 같은 말입니다.
산울림과 메아리, 달걀과 계란은 뜻이 같은 말입니다.

❸ **구두 - 가죽**

| 책 - 종이 | 철망 - 철사 | 도로 ✕ 자동차 |

가죽은 구두를 만드는 재료입니다.
종이를 책을 만드는 재료, 철사는 철망을 만드는 재료입니다.

❹ **정수기 - 물**

| 에어컨 - 바람 | 텔레비전 ✕ 라디오 | 밥솥 - 밥 |

정수기에서 물을 만들 수 있습니다.
에어컨으로 바람을 만들 수 있고, 밥솥으로 밥을 만들 수 있습니다.

❺ **진돗개 - 개**

| 삼각형 - 평면도형 | 트럭 - 자동차 | 김치 ✕ 배추 |

진돗개는 개에 포함됩니다.
삼각형은 평면도형에 포함되고, 트럭은 자동차에 포함됩니다.

❻ **그네 - 미끄럼틀**

| 개구리 ✕ 올챙이 | 사이다 - 콜라 | 영국 - 프랑스 |

놀이터에는 그네와 미끄럼틀 등이 있습니다.
음료수는 사이다, 콜라 등이 있고, 나라는 영국, 프랑스 등이 있습니다.

DAY 2

도형 유추

◈ 왼쪽 두 도형의 관계를 보고 오른쪽 두 도형도 같은 관계가 되도록 빈 곳에 알맞은 도형을 그려 보세요.

안쪽 삼각형을 뒤집은 모양입니다.

도형의 모양, 개수, 무늬, 회전 등 여러 가지 특징을 살펴봐.

❶

안과 밖이 바뀐 모양이며, 안쪽 도형은 색칠합니다.

❷

좌우가 바뀐 모양입니다.

❸

가운데 도형의 크기가 커지면서 색칠한 곳이 왼쪽에서 오른쪽으로 바뀌었습니다.

❹

도형을 대각선으로 자른 후 겹쳤습니다.

❺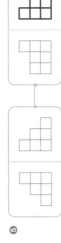

좌우가 바뀐 모양입니다.

❻

바깥쪽 선만 그렸습니다.

pensées

유비 추론

DAY 3

수 유추

규칙에 맞게 수가 배치되어 있습니다. 빈 곳에 알맞은 수를 써넣으세요.

화면 안에 두 가지가 주어질 때 공통점이 있어요.

8	13	5	18
7	1	6	7
2	6	4	10
5	11	6	17

가로 방향으로
첫 번째 수와 두 번째 수의 차가 세 번째 수입니다.
두 번째 수와 세 번째 수의 합이 네 번째 수입니다.

①

8	3	11	14
5	1	6	7
4	2	6	8
3	7	10	17

가로 방향으로 앞 두 수의 합이 바로 다음 수가 되는 규칙입니다.

②

6	2	12	14
4	1	4	5
3	5	15	20
2	5	10	15

가로 방향으로 첫 번째 수와 두 번째 수의 곱이 세 번째 수이고, 두 번째 수와 세 번째 수의 합이 네 번째 수입니다.

---

pensées

③

3	9	3	1
7	9	6	5
1	7	8	5
6	5	1	6

가로 방향으로 두 수의 합의 일의 자리 숫자가 바로 다음 수가 되는 규칙입니다.

④

10	2	5	3
8	1	8	7
14	7	2	5
15	5	3	2

가로 방향으로 첫 번째 수에서 두 번째 수를 나눈 몫이 세 번째 수이고, 두 번째 수와 세 번째 수의 차가 네 번째 수입니다.

⑤

9	2	4	1
11	4	2	3
15	3	5	0
14	8	1	6

가로 방향으로 첫 번째 수에서 두 번째 수를 나눈 몫이 세 번째 수이고, 나머지가 네 번째 수입니다.

⑥

4	6	4	2
2	9	8	1
3	5	5	1
7	3	1	2

가로 방향으로 첫 번째 수와 두 번째 수 두 수의 곱의 십의 자리 숫자는 네 번째 수이고, 일의 자리 숫자는 세 번째 수입니다.

DAY 4

매트릭스 유추 (1)

다음 그림들 사이에는 어떤 규칙이 있습니다. 배열 규칙을 찾아 기호를 써서 매트릭스를 완성하세요.

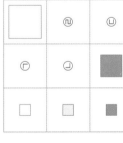

오른쪽으로 갈수록 커지고,
아래쪽으로 갈수록 색칠이 진해집니다.

가로, 세로 방향으로 규칙을 찾아봐.

①

오른쪽으로 갈수록 도형의 개수가 적어지고
아래쪽으로 갈수록 도형의 변의 개수가 적어집니다.

문제 D3 유추

---

②

오른쪽으로 갈수록 원의 개수가 세로 방향으로 늘어나고
아래쪽으로 갈수록 원의 개수가 가로 방향으로 늘어납니다.

③

오른쪽으로 갈수록 색칠된 칸이 ↘ 방향으로 한 칸씩 이동하고, 아래쪽으로 갈수록
색칠된 칸이 ↗ 방향으로 한 칸씩 늘어납니다.

3주차 유비 추론

DAY 5 매트릭스 유추 (2)

✎ 다음은 어떤 규칙에 따라 도형을 그린 것입니다. 네 번째 매트릭스를 완성하세요.

❶

첫 번째　두 번째　세 번째　네 번째

도형이 시계 반대 방향으로 한 칸씩 이동합니다.

도형의 위치가 어떻게 바뀌는지 알아봤.

도형이 시계 방향으로 한 칸씩 이동합니다.
꼭짓점 부분에 있는 도형은 흰색,
가운데 있는 도형은 빨간색입니다.

❷

첫 번째　두 번째　세 번째

네 번째

왼쪽 도형은 시계 반대 방향으로 한
칸씩 이동하고, 오른쪽 도형은 시계
방향으로 한 칸씩 이동합니다.

❸

첫 번째　두 번째　세 번째　네 번째

도형이 두 개 있는 칸에서 개가 시
계 방향으로 이동합니다.

pensées

확인학습

◈ ① 규칙에 맞게 수가 배치되어 있습니다. 빈 곳에 알맞은 수를 써넣으세요.

7	6	3	10
9	1	5	5
4	12	6	10
2	7	1	8

가로 방향으로 첫 번째 수와 두 번째 수의 합이 세 번째 수와 네 번째 수의 합과 같습니다.

②

3	2	6	4
5	4	20	16
2	7	14	7
4	6	24	18

가로 방향으로 첫 번째 수와 두 번째 수의 곱이 세 번째 수이고, 두 번째 수와 세 번째 수의 차가 네 번째 수입니다.

◈ ③ 다음은 어떤 규칙에 따라 도형을 그린 것입니다. 네 번째 매트릭스를 완성하세요.

첫 번째

두 번째

세 번째

네 번째

왼쪽 도형은 시계 반대 방향으로 두 칸씩 이동하고, 오른쪽 도형은 시계 방향으로 한 칸씩 이동합니다.

약속

약속대로 계산하기

📝 기호의 약속을 보고 순서대로 계산한 후 계산 결과를 빈 곳에 써넣으세요.

약속
- ★ : 2배 합니다.
- ● : 반으로 나눕니다.
- ■ : 3을 더합니다.
- ▲ : 3을 뺍니다.

24 ● ■ ★ = **30**

24÷2=12 ➡ 12+3=15 ➡ 15×2=30

35 ▲ ● ■ = **19**

35−3=32 ➡ 32÷2=16 ➡ 16+3=19

기호 순서에 맞게
계산해야 해!

약속
- ★ : 3배 합니다.
- ● : 4배 합니다.
- ■ : 10을 더합니다.
- ▲ : 15를 더합니다.

① **16** ■ ● ▲ = **119**

16+10=26 ➡ 26×4=104 ➡ 104+15=119

7 ★ ▲ ● = **144**

7×3=21 ➡ 21+15=36 ➡ 36×4=144

약속
- ◆ : 10배 합니다.
- ▶ : 10으로 나누었을 때 나머지입니다.
- ● : 7을 더합니다.
- ● : 7을 뺍니다.

② **5** ◆ ● ▶ = **7**

5×10=50 ➡ 50+7=57 ➡ 57÷10=5…7

43 ▶ ● ◆ = **60**

43−7=36 ➡ 36÷10=3…6 ➡ 6×10=60

약속
- ■ : 4로 나누었을 때 몫입니다.
- ▶ : 4로 나누었을 때 나머지입니다.
- ★ : 5 큰 수입니다.
- ● : 5 작은 수입니다.

③ **54** ★ ■ ▶ = **2**

54+5=59 ➡ 59÷4=14…3 ➡ 14÷4=3…2

90 ■ ● ▶ = **1**

90÷4=22…2 ➡ 22−5=17 ➡ 17÷4=4…1

약속
- ◆ : 각 자리 숫자를 더합니다.
- ■ : 각 자리 숫자를 곱합니다.
- ● : 2로 나눕니다.
- ● : 3으로 나눕니다.

④ **47** ■ ● ◆ = **5**

4×7=28 ➡ 28÷2=14 ➡ 1+4=5

87 ● ■ ◆ = **9**

87÷3=29 ➡ 2×9=18 ➡ 1+8=9

pensées

DAY 2

이중 약속

약속에 맞게 수를 나열하세요.

약속:
• 한 자리 수는 그 수를 두 번 곱합니다.
• 두 자리 수는 각 자리 숫자를 더합니다.

52 — 7 — 49 — 13 — 4 — 16 — 7

52는 두 자리 수이므로 5+2=7
7은 한 자리 수이므로 7×7=49
4+9=13 1+3=4 4×4=16 1+6=7

먼저 어떤 수인지 살펴본 후 약속에 맞게 계산하기만 하면 돼.

①

약속:
• 한 자리 수는 2를 곱합니다.
• 두 자리 수는 각 자리 숫자를 더한 후 2를 더합니다.

11 — 4 — 8 — 16 — 9 — 18 — 11

1+1+2=4 4×2=8 8×2=16 1+6+2=9 9×2=18 1+8+2=11

②

약속:
• 작수는 2로 나눕니다.
• 홀수는 1을 뺍니다.

95 — 94 — 47 — 46 — 23 — 22 — 11

95-1=94 94÷2=47 47-1=46 46÷2=23 23-1=22 22÷2=11

③

약속:
• 짝수는 2로 나눕니다.
• 홀수는 1을 더한 후 2를 곱합니다.

34 — 17 — 36 — 18 — 9 — 20 — 10

34÷2=17 (17+1)×2=36 36÷2=18 18÷2=9 (9+1)×2=20 20÷2=10

④

약속:
• 30보다 작거나 같은 수는 3을 곱합니다.
• 30보다 큰 수는 2로 나눕니다.

32 — 16 — 48 — 24 — 72 — 36 — 18

32÷2=16 16×3=48 48÷2=24 24×3=72 72÷2=36 36÷2=18

4주차 약속

DAY 3

연산 약속 (1)

◆ 약속에 맞게 ☐ 안에 알맞은 수를 써넣으세요.

①

약속
A ★ B : A에 B를 두 번 더합니다.

4 ★ 5 = [14]

4+5+5=14

3 ★ 8 = 19

3+☐+☐=19
☐+☐=16
☐=8

> 약속에 맞게 식으로 나타내면 어렵지 않게 풀 수 있어.

②

약속
A ● B : 큰 수에서 작은 수를 뺍니다.

7 ● 3 = [4]

7-3=4

9 ● 4 = 5

연산 결과가 5이므로
☐는 4보다 큰 수입니다.
☐-4=5이므로 ☐=9

① (left column lower)

약속
A ★ B : 두 수 중 작은 수에서 1을 뺍니다.

6 ★ 7 = [5]

6과 7 중에서 작은 수는 6이므로 6-1=5

8 ★ 3 = 2

연산 결과가 8-1=7이 아니므로
두 수 중 8은 작은 수가 아닙니다.
따라서 ☐-1=2이므로 ☐=3

③

약속
A ● B : 두 수 중 큰 수를 2배 합니다.

4 ● 6 = [12]

4와 6 중에서 큰 수는 6이므로 6×2=12

11 ● 9 = 22

연산 결과가 9×2=18이 아니므로
두 수 중 9는 큰 수가 아닙니다.
따라서 ☐×2=22이므로 ☐=11

④

약속
A ▲ B : 두 수의 합의 반입니다.

7 ▲ 3 = [5]

7+3=10이고 10의 반은 5입니다.

6 ▲ 14 = 10

두 수의 합의 반이 10이므로
두 수의 합은 20입니다.
6+☐=20, ☐=14

⑤

약속
A ★ B : A를 B번 곱합니다.

3 ★ 2 = [9]

3을 2번 곱하면 3×3=9

2 ★ 4 = 16

2×2=4, 2×2×2=8
2×2×2×2=16
따라서 2를 4번 곱하면 16이 됩니다.

⑥

약속
A ▲ B : A를 B로 나누었을 때 나머지입니다.

22 ▲ 8 = [6]

22÷8=2…6

7 ▲ 4 = 3

나머지가 3이 되도록 하는
나눗셈식은 7÷4=1…3뿐입니다.
따라서 ☐=4입니다.

46 팡세 D3_유추

4주_약속 47

pensées

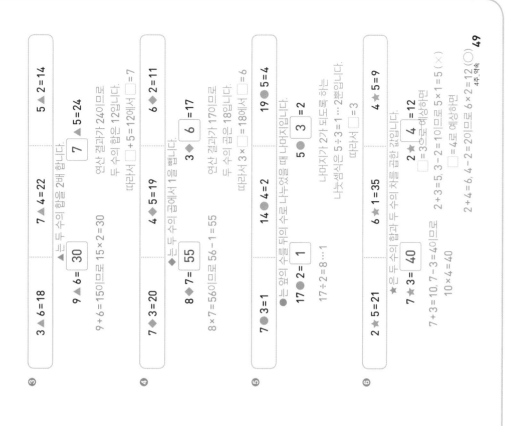

연산 약속 (2)

기호의 약속을 찾아 □ 안에 알맞은 수를 써넣으세요.

①

12 ★ 6 = 4   10 ★ 3 = 5   15 ★ 5 = 8

11 ★ 4 = [5]   14 ★ [8] = 4

11-4-2=5   □-8-2=4에서 □=14

★은 앞의 수에서 뒤의 수를 뺀 후 2를 뺍니다.

> 두 수의 차를 구해 봐.
> 규칙이 보이지?

②

3 ▲ 5 = 3   7 ▲ 2 = 2   9 ▲ 6 = 6

8 ▲ 12 = [8]   4 ▲ [1] = 1

▲는 두 수 중 작은 수입니다.
연산 결과가 4가 아니므로
4는 작은 수가 아닙니다.
따라서 □=1

②

2 ◆ 7 = 15   5 ◆ 1 = 12   16 ◆ 4 = 36

5 ◆ 12 = [21]   11 ◆ 3 = 24

(12-5)×3=21

◆는 두 수의 차를 3배 합니다.
연산 결과가 24이므로
두 수의 차는 24÷3=8입니다.
따라서 □-3=8에서 □=11

평세 D3_유추

48

③

3 ▲ 6 = 18   7 ▲ 4 = 22   5 ▲ 2 = 14

9 ▲ 6 = [30]   7 ▲ 5 = 24

▲는 두 수의 합을 2배 합니다.
9+6=15이므로 15×2=30
연산 결과가 24이므로
두 수의 합은 12이므로
따라서 □+5=12에서 □=7

④

7 ◆ 3 = 20   4 ◆ 5 = 19   6 ◆ 2 = 11

8 ◆ 7 = [55]   3 ◆ [6] = 17

◆는 두 수의 곱에서 1을 뺍니다.
8×7=56이므로 56-1=55
연산 결과가 17이므로
두 수의 곱은 18입니다.
따라서 3×□=18에서 □=6

⑤

7 ● 3 = 1   14 ● 4 = 2   19 ● 5 = 4

17 ● 2 = [1]   5 ● [3] = 2

●는 앞의 수를 뒤의 수로 나누었을 때 나머지입니다.
17÷2=8…1
나머지가 2가 되도록 하는
나눗셈식은 5÷3=1…2뿐입니다.
따라서 □=3

⑥

2 ★ 5 = 21   6 ★ 1 = 35   4 ★ 5 = 9

7 ★ 3 = [40]   2 ★ [4] = 12

★은 두 수의 합과 두 수의 차를 곱한 값입니다.
7+3=10, 7-3=4이므로
10×4=40
□=3으로 예상하면
2+3=5, 3-2=1이므로 5×1=5(×)
□=4로 예상하면
2+4=6, 4-2=2이므로 6×2=12(○)

4주 약속

49

DAY 5 도형 약속

다음 중 수가 놓인 규칙이 다른 하나를 찾아 ✕표 하세요.

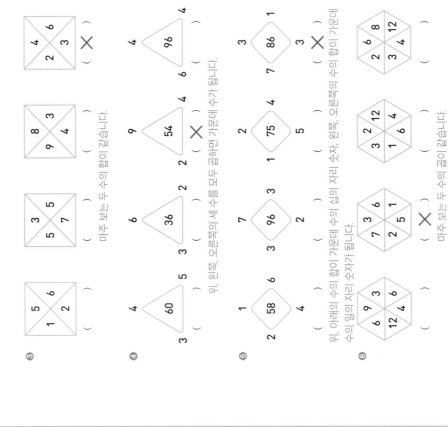

위, 왼쪽, 오른쪽의 세 수 중 가장 큰 수가 가운데 수가 됩니다.

위, 왼쪽, 오른쪽의 세 수를 모두 곱하면 가운데 수가 됩니다.

위, 왼쪽, 오른쪽의 세 수를 모두 곱하면 가운데 수가 됩니다.

마주 보는 두 수의 합이 같습니다.

마주 보는 두 수의 곱이 같습니다.

위, 아래의 수의 합이 가운데 수의 십의 자리 숫자, 왼쪽, 오른쪽의 수의 합이 가운데 수의 일의 자리 숫자가 됩니다.

①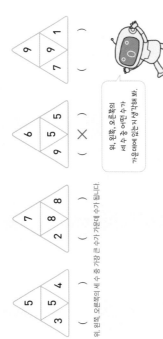

아래에 있는 두 수의 합이 위에 있는 수입니다.

②

왼쪽에 있는 수를 오른쪽에 있는 수로 나누었을 때의 나머지가 위에 있는 수입니다.

pensées

확인학습

◆ 기호의 약속을 찾아 □ 안에 알맞은 수를 써넣으세요.

① $2◆3=9$ $5◆4=24$ $6◆8=56$

◆는 앞의 수에 1을 더한 수와 뒤의 수의 곱입니다.

$4◆5=$ [25] $8◆2=18$

$(4+1)×5=25$ $9×2=18$이므로 □$+1=9$, □$=8$

② $8▲5=4$ $2▲4=3$ $11▲3=9$

▲는 두 수의 차에 1을 더합니다.

$8▲9=$ [2] $6▲$[13]$=8$

두 수의 차가 70이어야 하므로
□$-6=7$, □$=13$

◆ 다음 중 수가 놓인 규칙이 다른 하나를 찾아 ✕표 하세요.

③

10	9		21	7		20	3		55	6
9	1		5	4		3	7		6	9

( ) ( ) (✕) ( )

아래에 있는 두 수의 곱에 1을 더한 수가 위에 있는 수입니다.

④

2 9	7 10	5 5	9 13
4	10	1	36
4 3	3 2	5 4	8 6

( ) ( ) ( ) (✕)

위에 있는 두 수의 합과 아래에 있는 두 수의 합의 차가 가운데 수입니다.

평세 D3.유추

마무리 평가

TEST 1

마무리 평가

❖ 도형의 모양, 색깔, 채우기 중 한 가지 속성만 다른 도형끼리 서로 이웃하도록 연결된 고리입니다. 잘못 연결된 고리를 찾아 ×표 하세요.

❶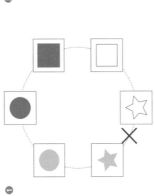

❷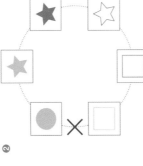

색깔과 채우기가 다르므로 두 가지 속성이 다릅니다.

모양과 채우기가 다르므로 두 가지 속성이 다릅니다.

❖ 규칙에 맞게 수를 바둑돌로 나타내려고 합니다. 검은색 바둑돌을 놓아야 할 곳에 색칠하세요.

❸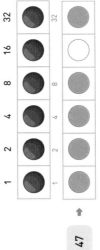

47

47 = 32 + 8 + 4 + 2 + 1

❹

61

61 = 32 + 16 + 8 + 4 + 1

54　명제 D3. 유주

❖ 규칙에 맞게 수가 배치되어 있습니다. 빈 곳에 알맞은 수를 써넣으세요.

❺

7	2	5	10
9	3	6	18
15	8	7	56
13	4	9	36

가로 방향으로 첫 번째 수와 두 번째 수 의 차가 세 번째 수이고, 두 번째 수와 세 번째 수의 곱이 네 번째 수입니다.

❻

8	6	4	2
3	9	2	7
7	8	5	3
6	5	1	4

가로 방향으로 첫 번째 수와 두 번째 수의 합이 일의 자리 숫자가 세 번째 수이고, 두 번째 수와 세 번째 수의 차가 네 번째 수입니다.

❖ 약속에 맞게 수를 나열하세요.

❼

6 — 24 — 7 — 28 — 11 — 3 — 12

약속
· 한 자리 수는 4를 곱합니다.
· 두 자리 수는 각 자리 숫자를 더한 후 1을 더합니다.

6×4=24　2+4+1=7　7×4=28　2+8+1=11　1+1+1=3　3×4=12

❽

34 — 17 — 20 — 10 — 5 — 8 — 4

약속
· 짝수는 2로 나눕니다.
· 홀수는 3을 더합니다.

34÷2=17　17+3=20　20÷2=10　10÷2=5　5+3=8　8÷2=4

마무리 평가　55

마무리 평가

❖ 규칙에 따라 단어를 나열하였습니다. 빈 곳에 알맞은 단어를 써넣으세요.

❶ 운동화 → 청바지 → 티셔츠 → 모자

몸에 착용하는 것이면서 점점 위로 올라갑니다.
낭방: 조끼 등

❷ 금붕어 → 물고기 → 동물 → 생명체

포함되는 관계가 점점 커지고 있습니다.

❖ 규칙에 맞게 수를 알맞게 나타내세요.

❸
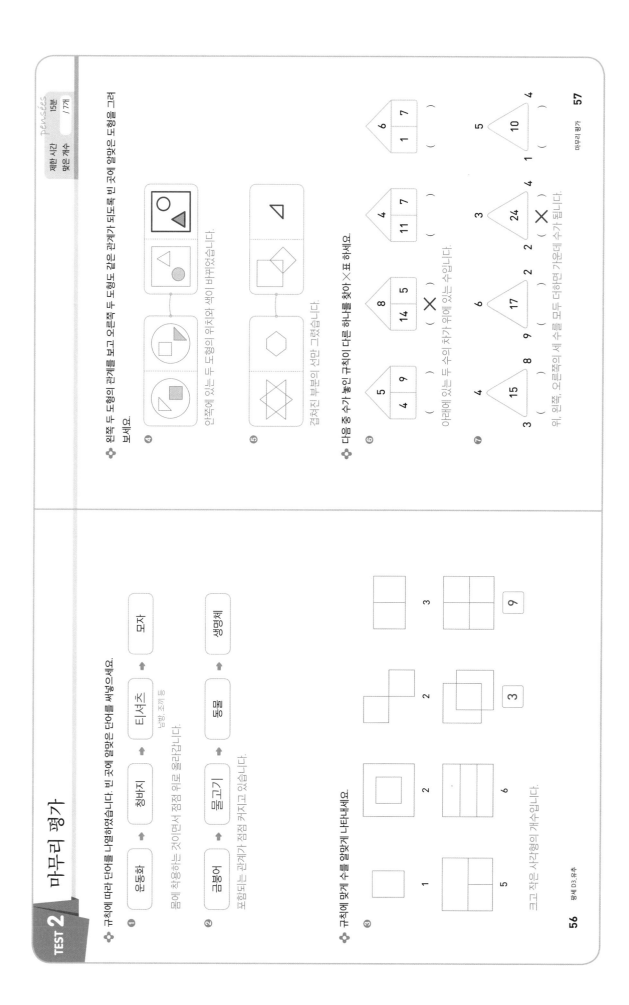

1 2 6 5
2 3 9 3

크고 작은 사각형의 개수입니다.

❖ 왼쪽 두 도형의 관계를 보고 오른쪽 두 도형도 같은 관계가 되도록 빈 곳에 알맞은 도형을 그려 보세요.

❹ 안쪽에 있는 두 도형의 위치와 색이 바뀌었습니다.

❺ 겹쳐진 부분이 선만 그렸습니다.

❖ 다음 중 수가 놓인 규칙이 다른 하나를 찾아 ✕표 하세요.

❻ 아래에 있는 두 수의 차가 위에 있는 수입니다.

❼ 위, 왼쪽, 오른쪽의 세 수를 모두 더하면 가운데 수가 됩니다.

TEST 3

마무리 평가

pensées
제한 시간 15분
맞은 개수 /7개

❖ 단추의 모양, 색깔, 구멍의 개수 중 한 가지 속성만 같은 단추끼리 이웃하도록 나열하였습니다. 빈 곳에 들어갈 단추를 찾아 기호를 쓰세요.

❶

㉠ ㉡ ㉢

㉢은 빈 곳의 왼쪽 단추와 구멍의 개수가 같고, 빈 곳의 오른쪽 단추와 모양이 같습니다.

❖ 규칙에 맞게 수를 나타낸 것입니다. 빈 곳에 모양이 나타내는 수를 쓰세요.

❷

33

$27+3+3=33$

❸

3	6			27
	6	9		

84

$81+3=84$ 이므로

$=81$이므로

❖ 주어진 두 단어 사이의 관계와 다른 하나를 찾아 ×표 하세요.

❹

왼쪽 - 오른쪽 | 빛 - 어둠 | 출발 - 정지

달 ✕ 별

빛과 어둠은 반대말입니다.
왼쪽과 오른쪽, 출발과 정지는 반대말입니다.

❺

마을 - 동네 | 속 - 안 | 슬기 - 지혜

부산 ✕ 인천

속과 안은 뜻이 같은 말입니다.
마을과 동네, 슬기와 지혜는 뜻이 같은 말입니다.

❖ 기호와 약속을 보고 순서대로 계산한 후 계산 결과를 빈 곳에 써넣으세요.

약속
◆ : 2배 합니다.
▶ : 반으로 나눕니다.
● : 6을 더합니다.
◉ : 6을 뺍니다.

❻

9 ◆ ▶ = 6

$9×2=18 → 18-6=12 → 12÷2=6$

❼

26 ◉ ▶ = 16

$26-6=20 → 20÷2=10 → 10+6=16$

TEST 4

마무리 평가

규칙에 따라 단어를 나열하였습니다. 빈 곳에 알맞은 단어를 써넣으세요.

1 음악 — 악기 — 기도 — 도시 — 시작

두 글자이면서 앞의 단어의 두 번째 글자가 그 다음 단어의 첫 번째 글자입니다.

2 삼각형 — 각도기 — 도시락 — 시금치 — 금메달

세 글자이면서 앞의 단어의 두 번째 글자가 그 다음 단어의 첫 번째 글자입니다.

이 외에도 여러 가지 방법이 있습니다.

규칙을 찾아 수로 나타내거나 알맞게 색칠하세요.

3
1　　3　　5　　□

25　　31　　42　　□　　68

왼쪽 칸은 1, 가운데 칸은 5, 오른쪽 칸은 25를 나타냅니다.
25+5+5+5+1=42
25+25+5+5+5+1+1=68

1	5	25
1	5	25
1	5	25
1	5	25
1	5	25

4 다음 그림들 사이에는 어떤 규칙이 있습니다. 배열 규칙을 찾아 기호를 써서 매트릭스를 완성하세요.

㉠ ㉡
㉢ ㉣

오른쪽으로 갈수록 원의 원이 커지고 아래쪽으로 갈수록 갈수록 삼각형이 커집니다.

약속에 맞게 □ 안에 알맞은 수를 써넣으세요.

5
약속
A ★ B: 두 수 중 작은 수를 3배 한 니다.

7 ★ 5 = 15
작은 수는 5이므로 5×3=15
11 ★ 4 =12
연산 결과가 11×3=33이 아니므로 두 수 중 11은 작은 수가 아닙니다. 따라서 □×3=12이므로 □ =4

6
약속
A ★ B: A에서 B를 두 번 뺍니다.

21 ★ 8= 5
21-8-8=5
17 ★ 7 =3
17-3=14이므로
B를 두 번 더한 수는 14입니다.
□+□ =14에서 □ =7

마무리 평가

TEST 5 마무리 평가

pensées 제한 시간 15분 / 맞은 개수 /7개

❖ 속성이 모두 같거나 모두 다른 카드 3장을 '셋(SET)' 카드라고 합니다. 다음 중 가로, 세로, 대각선 방향으로 셋 카드를 찾아 묶어 보세요. 카드는 색깔, 모양, 개수의 세 가지 속성이 있습니다.

❶

색깔: 모두 다릅니다. 개수: 모두 다릅니다.
모양: 모두 같습니다.

❷

색깔: 모두 다릅니다.
모양: 모두 다릅니다.
개수: 모두 같습니다.

❖ 규칙을 찾아 다음 바코드의 네 자리 숫자 코드를 구하세요.

❸

| 9 | 5 | 3 | 2 | 1 | 0 |

❹

9348

| 9 | 8 | 4 | 3 | | |

| 0 | 5 | 6 | 0 | 7 |

5607

| 7 | 0 | 6 | 5 | |

0부터 9까지의 수를 바코드로 나타내면 다음과 같습니다.

| 0 | 1 | 2 | 3 | 4 | 5 | 6 | 7 | 8 | 9 |

62 팡세 D3-유추

❖ 다음은 어떤 규칙에 따라 도형을 그린 것입니다. 네 번째 매트릭스를 완성하세요.

❺

첫 번째

두 번째

세 번째

네 번째

도형이 시계 반대 방향으로 한 칸씩 이동합니다.
꼭짓점 부분에 있는 도형은 파란색, 가운데 있는 도형은 흰색입니다.

❖ 기호의 약속을 찾아 □ 안에 알맞은 수를 써넣으세요.

❻

2▲3=8   3▲4=81   5▲2=25

▲는 앞의 수를 뒤의 수만큼 곱합니다.

7▲2= 49   2▲ 5 =32

7×7=49   2×2×2×2×2=32이므로 □ =5

❼

15◆5=6   12◆6=4   21◆3=14

◆는 앞의 수를 뒤의 수로 나눈 몫에서 2배 합니다.

35◆7= 10   8◆ 4 =4

35÷7=5에서 5×2=10   8÷ 4 =4

8÷□이 계산 결과가 2가 되어야 하므로
8÷□=□에서 □=4

마무리 평가 63

pensées

pensées

사고가 자라는 수학
씨투엠에듀 교재 로드맵

대상	사고력 사고력수학의 시작 팡세		도형 하루 10분 도형 학습지 플라토		연산 상위권으로 가는 연산 학습지 응용연산		서술형 하루 10분 서술형/문장제 학습지 수학독해		영재교육원 대비 영재교육원 관찰추천 사고력 수학 필즈수학
6세	팡세 S1	S1 패턴 S2 퍼즐과 전략 S3 유추 S4 카운팅	플라토 S-1	S1 평면규칙 S2 도형조작 S3 입체설계 S4 공간지각	응용연산 S1	S1 10까지의 수 S2 20까지의 수 S3 한 자리 수 덧셈 S4 덧셈과 뺄셈	수학독해 S1	S1 9까지의 수 S2 방향과 위치 S3 더하기와 빼기 S4 속성 분류	
7세	팡세 P1	P1 패턴 P2 퍼즐과 전략 P3 유추 P4 카운팅	플라토 P-1	P1 평면규칙 P2 도형조작 P3 입체설계 P4 공간지각	응용연산 P1	P1 50까지의 수 P2 100까지의 수 P3 덧셈과 뺄셈(1) P4 덧셈과 뺄셈(2)	수학독해 P1	P1 20까지의 수 P2 비교하기 P3 덧셈과 뺄셈 P4 모양과 규칙	
초1	팡세 A1	A1 패턴 A2 퍼즐과 전략 A3 유추 A4 카운팅	플라토 A-1	A1 평면규칙 A2 도형조작 A3 입체설계 A4 공간지각	응용연산 A1	A1 한 자리 수 덧셈 A2 (십몇)-(몇) A3 덧셈과 뺄셈(1) A4 덧셈과 뺄셈(2)	수학독해 A1	A1 100까지의 수 A2 덧셈과 뺄셈 I A3 시계와 규칙 A4 덧셈과 뺄셈 II	
초2	팡세 B1	B1 패턴 B2 퍼즐과 전략 B3 유추 B4 카운팅	플라토 B-1	B1 평면규칙 B2 도형조작 B3 입체설계 B4 공간지각	응용연산 B1	B1 곱셈구구 B2 나눗셈구구 B3 덧셈과 뺄셈 B4 곱셈과 나눗셈	수학독해 B1	B1 네 자리 수 B2 덧셈과 뺄셈 B3 곱셈구구 B4 길이와 시간	필즈 / 필즈 / 필즈 입문 상 입문 중 입문 하
초3	팡세 C1	C1 패턴 C2 퍼즐과 전략 C3 유추 C4 카운팅	플라토 C-1	C1 평면규칙 C2 도형조작 C3 입체설계 C4 공간지각	응용연산 C1	C1 분수와 소수 C2 여러 가지 분수 C3 곱셈과 나눗셈 C4 큰 수의 계산	수학독해 C1	C1 덧셈과 뺄셈 C2 곱셈과 나눗셈 C3 측정 단위 C4 분수와 소수	필즈수학 / 필즈수학 초급 상 초급 하
초4	팡세 D1	D1 패턴 D2 퍼즐과 전략 D3 유추 D4 카운팅	플라토 D-1	D1 평면규칙 D2 도형조작 D3 입체설계 D4 공간지각	응용연산 D1	D1 분수 덧셈·뺄셈 D2 소수 덧셈·뺄셈 D3 혼합 계산 D4 약수와 배수	수학독해 D1	D1 자연수 D2 평면도형 D3 분수와 소수 D4 통계와 규칙	필즈수학 / 필즈수학 중급 상 중급 하
초5	팡세 출시 예정 E1	E1 패턴 E2 퍼즐과 전략 E3 유추 E4 카운팅	플라토 E1	E1 평면규칙 E2 도형조작 E3 입체설계 E4 공간지각	응용연산 E1	E1 분수 덧셈·뺄셈 E2 분수의 곱셈 E3 분수의 나눗셈 E4 분수·소수 혼합	수학독해 출시 예정	E1권 E2권 E3권 E4권	필즈수학 / 필즈수학 고급 상 고급 하
초6	팡세 출시 예정 F1	F1 패턴 F2 퍼즐과 전략 F3 유추 F4 카운팅	플라토 F1	F1 평면규칙 F2 도형조작 F3 입체설계 F4 공간지각			수학독해 출시 예정	F1권 F2권 F3권 F4권	

Man is but a reed,
the most feeble thing in nature;
but he is a thinking reed,

"인간은 자연에서 가장 연약한 갈대에 불과하다.
하지만 인간은 생각하는 갈대이다."

Blaise Pascal, 블레즈 파스칼

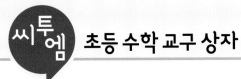 **초등 수학 교구 상자**

펜토미노턴

평면 공간감각을 길러주는 회전 펜토미노 퍼즐

초등학생들이 어려워하는 '평면도형의 이동'을 펜토미노와 패턴블록으로 도형을 직접 돌려 보며 재미있게 해결하는 공간감각 퍼즐입니다.

큐브빌드

입체 공간감각을 길러주는 멀티큐브 퍼즐

머릿속으로 그리기 어려운 입체도형을 쌓기나무와 멀티큐브를 이용하여 직접 만들어 위, 앞, 옆 모양을 관찰하고, 다양한 입체 모양을 만드는 공간감각 퍼즐입니다.

폴리탄

도형 감각을 길러주는 입체 칠교 퍼즐

정사각형을 7조각으로 자른 '입체 칠교'와 직각이등변삼각형을 붙인 '입체 볼로'를 활용하여 평면뿐만 아니라 다양한 입체도형 문제를 해결하는 퍼즐입니다.

트랜스넘버

자유자재로 식을 만드는 멀티 숫자 퍼즐

자유자재로 식을 만들고 이를 변형, 응용하는 활동을 통해 연산 원리와 연산감각을 길러주는 멀티 숫자 퍼즐입니다.

머긴스빙고

수 감각을 길러주는 창의 연산 보드 게임

빙고 게임과 머긴스 게임을 활용하여 수 감각과 연산 능력을 끌어올리고 전략적 사고를 키우는 사고력 보드 게임입니다.

폴리스퀘어

공간감각을 길러주는 입체 폴리오미노 보드 게임

모노미노부터 펜토미노까지의 폴리오미노를 이용하여 다양한 모양을 만들어 보고, 여러 가지 땅따먹기 게임 등을 통해 공간감각을 기를 수 있는 보드 게임입니다.

큐보이드

입체를 펼치고 접는 전개도 퍼즐

여러 가지 모양의 면을 자유롭게 연결하여 접었다 펼치는 활동을 통해 정육면체, 직육면체 전개도의 모든 것을 알아보는 전개도 퍼즐입니다.